Fjellroser

FJELLROSER

Dette er siste bok i serien.

Fjellroser

Under regnbuen

av Laila Brenden

BLADKOMPANIET

Omslagsdesign: Arild Sæther
Omslagsillustrasjon: Anders Kvåle Rue
Illustrasjon, s 7: Anders Kvåle Rue
Forfatterfoto: Trond Gran

ISBN 978-82-334-0073-6

Sats: Type-it AS, Trondheim
Trykk: ScandBook UAB, Litauen, 2017

Persongalleri

Anna og **Rise** – seriens hovedpersoner, to unge kvinner oppvokst på fjellgården Knatten

Liv – hittebarn som Rise nå har omsorgen for

Svein Ulrik, Lars Ola og **Linnea Dorthea** – Rise og Edvins barn

Ragna – tidligere husfrue på Torgilstad Øvre, mor til Jo

Torgil – tidligere bonde på Torgilstad Øvre, nå avdød

Sverre og **Jo** – Ragna og Torgils barn; deres tre øvrige barn, Idun, Haldis og Gard, er alle omkommet i ulykker

Åse – gift med Jo

Hallvard – storebroren til Torgil, og den egentlige arvingen til Torgilstad Øvre

Morten, Eilert, Sigbjørn, Agnes, Ivar og **Brita, Bjørg, Ingerid** – tjenestefolk på Torgilstad Øvre

Kristin, Egil, Moa, Halkjell og **Guri** – tidligere tjenestefolk på Torgilstad Øvre

Halldor – bror til Torgil, som til vanlig bor på Torgilstad Midtre, nå fengslet for drapet på kona, Siv

Johanne og **Oddlaug** – døtrene til Halldor og Siv

Peder og **Helga** – bror til Torgil som nå er avdød, og kona hans

Alf – sønn av Peder og Helga; søsteren til Alf, Jørgine, ble drept av Torgil

Torodd – Rises barndomsvenn og ektemann

Sivert – en mann Rise og Anna reddet livet til på fjellet, nå en nær venn av søstrene, bosatt i Skjolden

Edvin – nevøen til Sivert, gift med Rise, nå avdød

Dorthea og **Ulrik Valle** – Edvins foreldre
Erle, Elvira og **Espen** – Edvins søsken
Viljar – nevøen til Ragna, gift med Anna
Tulla – var gift med Even, Viljars bror. Mor til Erik og Vesle-Borghild
Peder Bruun – glassmester på Lillehammer
Valle Dale – advokat på Lillehammer
Amanda – avdød enke som bodde i prestegården, tidligere doktorfrue
Aksel – tidligere tjenestegutt på prestegården, nå lærer i bygda
Lord Sommerville – engelsk lord som pleier å tilbringe sommeren
   på Torgilstad Øvre, Anna og Rises velgjører
Edel Sommerville – lordens kone
Alice og Susie – venninner av Rise i England

Torgilstad Øvre

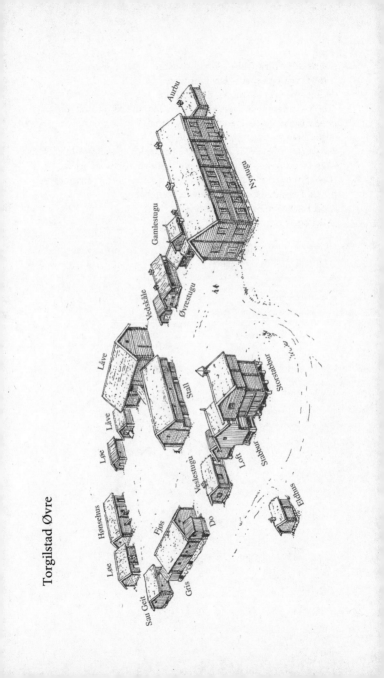

Takk for følget

Tiden er inne for å ta farvel med Anna og Rise og famliene i Bøverdalen og på Lillehammer. Fra tidlig i 2011 har personene i *Fjellroser* vært en viktig del av hverdagen min, og det blir rart å forlate dem. Men etter 43 bøker kjennes det riktig. Nå skal etterkommerne etter Anna og Rise få leve sine liv akkurat slik de selv vil, og jeg er sikker på at de klarer seg godt.

Tusen takk til alle trofaste lesere som har fulgt med på veien. Tusen takk for mange godord og varme hilsener som har vært med på å løfte historien fram. En helt spesiell takk går til alle i Bøverdalen og Lom – for støtte og oppmuntring, åpne armer og raus varme …

Takk!
Hilsen Laila

Slik sluttet forrige bok:
Flodbølgen

Viljar følte at doktoren var dypt rørt, og han tenkte at savnet av David og Edel ble ekstra sterkt i dette rommet. Lite ante han om det som nå skulle komme.

Herr Irgens gned seg i øynene og trakk pusten før han rettet ryggen og festet blikket på Viljar. Det var som om han tok sats for å si det han hadde på hjertet.

– Jeg har noe jeg vil fortelle før vi fortsetter samtalen. Doktoren kremtet et par ganger for å klarne røsten, som var blitt litt skurrete. – Etter det kan du bestemme deg for om du ønsker å ha mer med meg å gjøre, Viljar. Kanskje vil du synes at jeg burde holdt hemmeligheten for meg selv, men jeg føler at tiden er inne til å si sannheten nå …

1

Viljar så urolig på Alfred Irgens. Doktoren virket nervøs og bestemt på samme tid, og det var umulig å gjette seg til hva han skulle fortelle. I den lille pausen som oppstod, slo det Viljar at biblioteket på Ley luktet friskt, og de fleste bøkene etter lorden og fru Edel stod slik de alltid hadde gjort. Susie hadde vært flink til å holde orden, og nå håpet han bare at herr Irgens ikke skulle si noe som ville ødelegge minnene etter lorden og ladyen. Hvis det var noe ufordelaktig om de to, kunne han godt være kunnskapen foruten.

– Jeg har lenge grunnet på om jeg skulle fortelle dere sannheten, kremtet doktoren omsider. – Jeg kom til at det var best å tie så lenge David og Edel levde, men nå føler jeg at det er riktig å være åpen.

– Har dette noe å si for den videre driften av Ley? spurte Viljar. Han var ikke så sikker på om han hadde lyst til å høre hva doktoren hadde på hjertet.

– Det kan det ha. Hvis det er så at dere vil at jeg skal overta stedet, og ha et slags oppsyn med virksomhetene her, bør dere vite hvem jeg er.

Den første tanken til Viljar var at doktoren kanskje hadde sonet en straff, eller flyktet fra en dom i Norge. Men det måtte i så fall være mange, mange år siden, og det ville ikke ha noe å si for driften av Ley. Men før han rakk å si noe mer, fortsatte doktoren å snakke.

– En sommer for 36 år siden – jeg var fortsatt ung medisinstudent i København – reiste jeg sammen med tre kamerater til Norge. Vennene mine ville gjerne se fjellene i Norge, og vi dro i vei mot Dovre. Som fattige studenter ble det mange timer til fots langs støvete veier, husker jeg, men vi fikk ofte sitte på med arbeids- kjerrer og tomme hestevogner, så vi kom oss greit til Otta. Derfra tok vi beina fatt, og vi oppdaget snart at budeiene på sætrene var gjestfrie og trivelige kvinnfolk.

Herr Irgens strøk en hånd gjennom håret og smilte forsiktig ved de gode minnene. Ansiktet hans var ikke preget av uro eller bekymring, og det så ut til at han likte å fortelle.

– Dette var lenge før det ble vanlig med turister i fjel- let, fortsatte doktoren. – Overalt ble vi tatt godt imot, og vi gledet oss til nye bekjentskaper og nye boller med rømmegrøt hver kveld. I Sel ble vi værende flere dager på samme plassen. Det var ei lita sætergrend med mange kvikke og muntre jenter, og det var ikke fritt for at det gnistret litt ekstra mellom studenter og budeier disse dagene.

– Lyder velkjent, bemerket Viljar tørt. Han lurte fortsatt på hvor denne historien skulle ende, og hva den hadde med Ley å gjøre. Men advokat Conrad Valle Dale fulgte spent med, og ingen avbrøt doktoren.

– Jeg ble svært betatt av en av jentene, og vi stakk oss bort fra de andre flere ganger. Hun var vakker og hadde en behagelig framferd, men hun bare lo da jeg ymtet at hun kunne komme til København og ta seg huspost der. Hun kom fra fattige kår, og ville aldri få råd til en båtbillett, mente hun.

– Men du glemte henne aldri, sa Conrad prøvende. Han var redd for at historien skulle trekke ut i det uendelige. – Møtte du henne igjen?

– Nei. Svaret kom som et sukk fra dypet. – Men etter en stund kom det post fra Norge, fra Marit Sofie Persdatter. Hun fortalte at hun var med barn, og at det måtte være mitt.

Conrad ble ikke overrasket, for slike historier var det mange av. Men Viljar rynket pannen og ble svært tenksom. Han visste bare om én kvinne med det navnet …

– Hun skrev at hun ikke ville forlange noe av meg, og at hun hadde en snill kjæreste i hjemtraktene som hun

15

ønsket å gifte seg med. Det var best at jeg ikke oppsøkte henne.

– Hvorfor tok hun seg bryet med å skrive til deg da? Viljar så undersøkende på Irgens. – Det beste hadde vel vært om du aldri fikk vite noe?

– Jeg har også lurt på det, svarte doktoren og så med fast blikk på Viljar. – I ettertid har jeg kommet til at hun kanskje *håpet* at jeg skulle be henne om å ekte meg. Men hun visste at jeg var midt i studiene, og at mine foreldre neppe kom til å godta et slikt gifte. Og jeg, ussel som jeg var, lot være å svare henne av frykt for at brevet skulle komme på avveier. Jeg hadde ingen adresse.

Da Conrad kremtet og skiftet stilling, viftet Irgens med hånden og nikket oppgitt. Han var forberedt på at karene ville miste respekten for ham etter dette, og allerede nå syntes han å spore misbilligelse i blikkene.

– I hvert fall var det *den* unnskyldningen jeg brukte overfor meg selv den gangen, fortsatte han. – Sannheten var vel snarere at jeg hadde lyst til å fortsette de glade, uforpliktende studiedagene uten å ha ansvaret for kone og barn. Jeg unnskylder meg ikke, og jeg er ikke stolt over den beslutningen jeg tok.

– Det er nok mange kvinner som har opplevd et slikt svik, mumlet Conrad. Han så at Viljar satt i dype tanker, og følte at han måtte si noe. – Og mange karer som går rundt med dårlig samvittighet og stor anger …

mange år senere. Men vi må leve med valgene våre, enten vi liker dem eller ikke.

– Sant nok. Og jeg har levd godt med mitt valg, kanskje *for* godt. Noen år senere kom det ett brev til fra Norge. Det siste. Der fortalte Marit Sofie at hun hadde født ei jente som var frisk og kvikk, og som vokste opp med en far og mor som elsket henne. Ektemannen var klar over at han ikke var den riktige faren, men han tok på seg farskapet, og de hadde giftet seg før datteren min ble født.

– Så kunne du leve videre i trygg forvissning om at ungen hadde det bra, bemerket Viljar tørt. – Du fikk kanskje vite navnet på jenta?

– Ja. Doktoren så utfordrende på Viljar. – Og jeg har gjemt på brevet som gir noen flere opplysninger om familien. I tilfelle du ikke tror meg.

– Det er Anna, ikke sant?

– Ja.

– Du er far til Anna?

– Ja.

– Og nå har du lettet din samvittighet. Viljar var ikke like rystet som han kanskje burde ha blitt, men han var forvirret og en anelse irritert. Hvorfor måtte Alfred Irgens i det hele tatt fortelle om farskapet? Etter så mange år kunne han holdt kjeft, og latt hele greia gå i graven med ham selv.

– Ja. Og hver gang lorden kom tilbake fra sommerturene sine i Norge og fortalte om de nye tjenestejentene på Øvre, ble jeg mer og mer sikker på at det gjaldt *min* Anna. Da han bad meg om å se til henne på overfarten fra Norge til England den første gangen hun kom hit, kunne jeg ikke si nei. Men jeg ante ikke da at hun var blitt bortført og kom mot sin vilje.

– Du gjorde i hvert fall noe riktig *den* gangen, mumlet Viljar. – I ettertid husker Anna deg som en vennlig og trygg person i alt det opprivende hun måtte gjennom.

– Det var vanskelig. For første gang strøk doktoren seg over blanke øyne og svelget. – Da jeg forstod at hun ikke kom frivillig, slet jeg med skyldfølelse i lang tid. Den hendelsen ødela nesten vennskapet med lorden.

Det ble stille i biblioteket. Irgens lente seg tungt bakover i stolen og så prøvende på Viljar og Conrad. Det var ingen bønn om tilgivelse i blikket, men et håp. Kanskje var det et håp om at Viljar ikke ville slå hånden av ham. Eller et håp om at han skulle få møte datteren sin som *far*.

Viljar gned seg hardt i ansiktet mens tankene surret som et møllehjul. En svak duft av roser fylte rommet, men de vakre blomsteroppsatsene til Susie fikk ingen beundrende blikk. Ikke de blankpussede messingstakene eller vedholderen heller.

Stillheten var tykk og full av spørsmål og rådvillhet. Viljars første tanke var at det gode forholdet mellom Rise og Anna kom til å få seg en knekk. Når det eneste, faste holdepunktet i oppveksten deres viste seg å være halvveis uriktig, kunne resten av livene deres bli en reise i grubling og sammenligning. Var disse opplysningene verdt *det*?

– Vil du at Anna skal få kjennskap til historien? Omsider hostet Viljar fram et spørsmål og prøvde å tenke fornuftig.

– Hadde hun vært her nå, ville jeg ha fortalt henne sannheten. Men hvis du mener det er best at hun skånes, så blir det opp til deg. Tanken min er at dere skal vite hvem som kanskje kommer til å overta Ley.

– Jeg ser ikke at de nye opplysningene har noen innvirkning på den videre driften av dette stedet. Conrad snakket med advokatrøst, og den saklige tonen løste opp en litt trykket stemning. – Hvis Viljar synes det er greit, kan vi fortsette samtalene rundt overdragelsen?

– Når det gjelder farskapssaken, trenger jeg litt tid til å fordøye den, svarte Viljar fast. Han måtte riste av seg alle tankene og heller samle seg om det de var kommet for å gjøre. – Jeg kan ikke love at Anna får kjennskap til denne samtalen, men jeg håper at hun kan få en hyggelig melding om at det fortsatt vil være aktivitet på Ley.

– Så jeg har fortsatt din tillit? Doktoren satt avslappet i stolen og ville ha en siste bekreftelse på at han fortsatt var ønsket som ny eier.

– Ja, det har du. Alle kan trå feil, og jeg oppfatter deg som en dyktig og driftig person som nyter stor anseelse i Durham. Viljar syntes nok at Irgens kunne ha opptrådt annerledes den gangen for 36 år siden, men Anna hadde vokst opp med kjærlige foreldre som hun mintes med godhet, og *det* minnet burde ingen ta fra henne.

– Nå er jeg spent på å høre hva du har for planer for Ley.

– Jeg har gjort mange undersøkelser etter at lorden døde og advokaten hans i Newcastle kontaktet meg. Doktoren lente seg framover og var tydelig lettet over at den vanskelige delen av samtalen var over. – Arveavgifter og utgifter til vedlikehold og stell utgjør en betydelig post. Gårdsdrift alene vil ikke være nok til at stedet kan blomstre. Derfor har jeg fått med meg noen som kan tenke seg å drive virksomhet på stedet.

– Vi har hørt om nonnene og bryggeriet, skjøt Viljar inn. – Og kanskje et stutteri. Er det mer?

– Jeg vil selv flytte hit og drive praksis i en del av bygningen. Overjægermesteren og røkteren er villige til å dyrke korn og holde sau og kyr. De viderefører altså gårdsdriften og vil starte med produksjon av ost. En musiker vil gjerne drive sang- og pianoundervisning på Ley, og han vil holde store konserter i salene. Så kan det bli snakk om oppdrett av jakthunder, og i tillegg planlegger jeg å utvide biblioteket, slik at landsbybefolknin-gen kan få låne bøker. Kommunen er villig til å betale en årlig sum for en slik tjeneste. Den siste jeg har fått med på planene, som er villig til å flytte hit, er en kunst-samler som driver med kjøp og salg av oljemalerier og statuer.

– Dette høres nesten for godt ut, bemerket Viljar. – Jeg vet i hvert fall at Rise kommer til å bli henrykt over planene. Hva med hagen? Hvem skal stelle den?

– Nonnene. Irgens smilte fornøyd. – De anlegger egen urte- og grønnsakhage, og i tillegg sørger de for å stelle prydbuskene. Doktoren slo ut med armene og så seg om i rommet. – Alt dette burde gjøre Ley til et tri-velig sted.

– Er planene gjennomførbare? Conrad tenkte for-nuftig og langsiktig, og han var nok litt i tvil om hvor lenge et slikt fellesskap ville holde.

– Jeg mener det. Alle betaler leie til meg: én fast sum i året, og utover *det* en avtalt prosent av overskuddet. Nonnene bidrar med mat, og overjægermesteren sør-ger for at vi får korn og kjøtt og melk. På mange måter vil vi leve i et fellesskap, men samtidig beholder vi pri-vatlivet. Ley har nok plass å ta av.

– Snakker vi om et salg av Ley, eller en vederlagsfri overtagelse? Conrad stilte spørsmålene på vegne av Vil-jar, noe kameraten var glad for. Advokatvennen kunne gjøre det uten å virke frekk eller grådig, for dette hørte med til hans profesjon.

– Tja, det er et kinkig spørsmål, vedgikk Irgens. – Personlig har jeg ikke så mye midler at jeg kan betale det en slik eiendom egentlig er verdt. Men det er vanskelig å selge slike steder nå, så jeg håper at vi kan komme til en enighet.

– Det er vi innforstått med. Viljar var svært oppsatt på at denne handelen skulle gå i orden, om de så måtte gi bort alt sammen. – Har du tenkt på en sum?

– Jeg vet i det minste hvor mye *jeg* kan betale. Det er selvsagt en mulighet for at de som er interessert i å flytte hit, kan kjøpe seg inn med en andel i eiendommen, men da splittes den opp.

Doktoren bladde i noen papirer han hadde med seg, og nevnte en sum. Det var et betydelig beløp, mye større enn det Viljar hadde tenkt seg.

– Oppsparte penger og arv etter mine foreldre i Norge, forklarte Irgens. – Det er så langt jeg kan strekke meg, men jeg vet at det er lite for en så stor eiendom.

– Tja. Nå kjenner ikke jeg til eiendomsprisene i England, skjøt Conrad inn. – Men jeg ville tro at De gjorde et meget godt kjøp om Viljar går med på den summen.

– Jeg er klar over det. Og kanskje er det et skambud. Men det er alt jeg har.

– Du *trenger* ikke å flytte hit, tenkte Viljar høyt. – Du

har praksis i Durham, og du bor godt i dag. Likevel vil du til Ley?

– David og Edel var mine gode venner, og her fikk jeg møte Anna, datteren min. Jeg har hatt mange gode stunder på Ley, og jeg synes det er synd hvis stedet forfaller.

– Akkurat slik tenker Anna og Rise også. De vil gjerne at det skal blomstre. Viljar lot som han tenkte seg om, men i virkeligheten hadde han allerede bestemt seg.

– Du trenger ikke å svare meg med det samme. Doktoren slo ut med armene, og det så ikke ut som han trodde på en løsning. – Ta den tiden du trenger, og snakk med advokaten i Newcastle og herr Valle Dale. Dere vet hvor dere finner meg.

– En liten tenkepause kan være fint, svarte Viljar. – Har du lyst til å bli med en runde på eiendommen og fortelle hvordan du ser for deg driften?

– Gjerne. Det er lenge siden jeg har vært her nå. Irgens reiste seg og pekte. – Hver jul hengte fru Edel misteltein over døra. Under den var det lov å kysse, og jeg husker at lorden pleide å trille Edel halvveis gjennom døra og så slippe taket i rullestolen. Hun kom ingen vei, og måtte pent finne seg i å bli kysset av ektemannen. Det ble mange muntre bemerkninger og mye latter av det.

23

Viljar skjønte at doktoren bar på et vell av minner fra tiden sammen med lorden og ladyen, og ingen ville passe bedre til å ta vare på Ley. Alfred Irgens hadde et oppriktig ønske om å drive stedet, og det var ingen tvil om at han kom til å arbeide iherdig for at byens landemerke skulle blomstre.

Overjægermesteren sluttet seg til karene da de kom ut i gårdsrommet, og de tok seg god tid på runden. Doktoren hadde nok tenkt mer på en overtagelse av Ley enn Viljar først trodde, for underveis pekte og forklarte han ivrig: Nonnene kunne få hele østfløyen, og bryggeriet kunne være i kjelleren, der lorden allerede hadde laget et lite bryggeri. I den ene enden av nordfløyen kunne kunstsamleren innrette seg som han ville, i den andre enden kunne musikerne få det fint. Biblioteket måtte ligge nærmest veien så folk kunne gå rett inn …

– Stallen og havnehagen ligger jo klar til å starte stutteri, mente overjægermesteren, – og det er god plass til hundeoppdrett ved jegermesterhuset.

– Jeg glemte forresten å nevne at en salmaker som er spesielt flink til å lage praktseletøy, også kan tenke seg å flytte hit, skjøt Irgens inn. – Og det kan komme flere.

– Hva med matstell? Viljar lurte på *hvor* langt doktoren hadde kommet i planene sine. – Skal alle drive eget kjøkken, trengs det vel flere ildsteder og …

– Jeg mener vi må få til en ordning der vi har felles

24

kjøkken. Vi kan la matlagingen gå på rundgang, eller vi kan ansette en egen kokk. Det ordner seg sikkert.

– Hvis stedet eies av én person, så er det vel opp til ham å bestemme dette, sa Conrad. Han likte området og stedet så godt at hadde det ligget i Norge, kunne han ha tenkt seg å kjøpe det selv.

– Slik tenker jeg også. Og på den måten unngår vi kanskje opprivende konflikter, for den som er eier, bestemmer til sist. Irgens strøk hånden over hekken som utgjorde den nye labyrinten til fru Edel. – Denne må friseres litt, ser jeg.

Viljar motstod fristelsen til å fortelle om den natten han holdt vakt her sammen med lorden, Torodd og en politiaspirant. Han husket godt hvordan de avslørte kokken og husholdersken som tjuver, og hvor skuffet og sint lorden hadde vært. Hendelsen stod klart for ham, og han kunne ikke fatte at det allerede var fem år siden.

Karene gjorde en sving bortom fjøset før de gikk over grasslettene og beitemarkene og tilbake til hovedhuset. Hele tiden kjempet Viljar med å skyve tankene på Anna og farskapet til side, men det var vanskelig. Han tok seg stadig i å betrakte Irgens i smug for å se etter kjente trekk, og han måtte minne seg selv på at salget av Ley var en helt annen sak.

– Hvis planene dine lar seg gjennomføre, tror jeg at

Ley vil bli et trivelig sted, sa Viljar da de var tilbake.
– Og du mener at dette vil gi nok inntekter til å betale skatter og avgifter til staten?

– Jeg håper det. Ja, jeg har faktisk fått hjelp til å sette opp et regnskap, og det står seg godt. Doktoren var rolig og fast i stemmen. Han hadde nok god lyst til å drive Ley, men han virket ikke overivrig, og det syntes Viljar var betryggende. Denne karen kjente til utfordringene ved et slikt kjøp, og han var ingen ungsau. Hvis han fikk kjøpe eiendommen, var det ikke et plutselig, uoverveid innfall.

– Du har gitt meg litt å tenke på, sa Viljar. – Jeg trenger nok et par dager på å bestemme meg. Han fikk et umerkelig nikk fra Conrad. – Jeg skal sende bud når en beslutning er tatt.

– Selvfølgelig. Uansett håper jeg at vi får tid til en prat før dere reiser tilbake til Norge. Det hvite, velstelte skjegget til doktoren skinte skarpt i sollyset, og der han stod foran den store murbygningen, så han ut som om han allerede eide den. – Takk for at dere ville lytte til meg, og lykke til med arbeidet. Jeg forstår godt at det er mange hensyn å ta, og dersom valget ikke faller på meg, blir jeg ikke bitter eller lei meg. Da vet jeg at du har funnet en bedre løsning for Anna og Rise.

Viljar nikket og ønsket doktoren vel hjem. Idet vogna satte seg i bevegelse, pekte Irgens på hjørnetårnet og smilte mens han ropte: – Og der vil jeg ta imot pasientene mine …

Etter en sen middag fikk Viljar og Conrad servert litt sterk drikke i den røde salongen ved biblioteket. Dette var et lite og hyggelig værelse, og et av de stedene lorden og fru Edel hadde brukt aller mest. Susie fikk fri, og endelig kunne karene snakke fritt om dagens hendelser.

– Det er vel ingen grunn til å tvile på det han fortalte, lurte Conrad. – Du leste jo brevet.

– Det er nok mor til Anna som har skrevet det, ja. Jeg vet at hun arbeidet på sætrene i Sel i ungdommen, og hun skildret landskapet rundt Knatten perfekt, dog uten å nevne navn. Det var ikke til å ta feil av. Og hvorfor skulle han i så fall lyve på seg et farskap?

– For å få kjøpt Ley billig. Det *kan* være at han tror nyheten gir ham et slags fortrinn, og at han oppnår en form for velvilje.

– Jeg velger å tro på det han sier. Doktoren har et spesielt forhold til Ley, og han ønsker ikke at stedet skal forfalle. Jeg har bestemt meg for at han skal få kjøpe.

– Det var en liten sum han tilbød. Conrad løsnet på skjorteknappene i halsen og strakte beina framfor seg. Som advokat og Viljars reisefølge var det hans plikt å forsikre seg om at vennen ikke tok forhastede avgjørelser.

27

– Kanskje. Men det er en stor sum for Anna og Rise. Veldig stor. De kan kjøpe mange gårder eller småbruk i Norge for den summen.

– I hvert fall noen, smilte Conrad. – Jeg forstår at pengene ikke er av betydning for dere, for Anna og Rise, men det er ingen grunn til å selge billig hvis det er mulig å få mer.

– Jo, det kan det være. Følelsen av at Ley er i gode hender, betyr mye for søstrene. Viljar tok en dyp slurk av glasset med Armagnac, og lot lordens sterke dråper varme ham fra innsiden. En titt ned i vinkjelleren tidligere på dagen hadde avslørt at Susie utførte pliktene sine til fulle. Det var en velfylt kjeller, som mange sikkert kunne tenke seg å tømme. Viljar tok seg i å håpe at de få som stelte på Ley dette året, hadde forsynt seg av lageret, og unnet seg en liten hyggestund i ny og ne.

– Vi kan be advokaten i Newcastle om å legge eiendommen ut for salg, og se hva som skjer, sa Conrad.

– Det er ikke nødvendig. Jeg synes Alfred Irgens skal få kjøpe alt sammen og sette planene sine ut i livet. Lykkes han, er det fint. Går det dårlig, så har han prøvd. Hva som skjer videre, må bli hans sak.

– Du virker bestemt? Vennen så granskende på Viljar, og visste at salget var avgjort. Han hadde hjulpet Viljar med forretninger hjemme på Lillehammer, og han kjente det uttrykket.

– Ja. Jeg har bestemt meg for å selge. Men jeg har ikke bestemt meg for hva jeg vil gjøre med opplysningene om farskapet. I øyeblikket plager *det* meg aller mest.

– Jeg skjønner deg. Hva godt fører det til om hun får vite at faren hennes stakk fra ansvaret den gangen?

– Jeg tror Anna kommer til å bli opprørt. I det minste kommer hun til å plage seg med grublerier resten av livet. Spørsmål som hun aldri vil få svar på. Men er det ikke min plikt å fortelle henne sannheten når jeg nå engang kjenner den?

– Det må i så fall være en plikt med tanke på din egen samvittighet, svarte Conrad fort. – Ingen lover pålegger deg å fortelle det du vet i slike saker.

– Fanden ta doktoren! Viljar slo knyttneven i bordet. – Kunne ikke den tufsen holdt kjeft? Ingen av oss trenger å kjenne til denne historien.

– Men så fikk han lettet sin egen samvittighet. Og kanskje håper han på å bli en slags ny lord i livet hennes. En som ikke bare kaller henne datter, men en som i virkeligheten *er* faren hennes.

– Tror du? Viljar sperret opp øynene og så overrasket på kameraten. – Det har ikke falt meg inn at han vil prøve å tre inn i rollen som *lord Sommerville* overfor arvingene. Hvis det henger slik sammen, føler jeg ubehag.

– Det er slett ikke sikkert. Conrad ristet kraftig på

hodet. – Jeg bare tenker høyt, det er en vane jeg har når det dukker opp saker. Doktoren virker som en pålitelig og grei kar, og han er fornuftig nok til å forstå at Anna og Rise kanskje aldri vil besøke dette stedet igjen.

– Det tror jeg. Men nå ble jeg usikker … Viljar gjespet og følte at tankene aldri ville falle til ro denne kvelden. Hvis doktoren ønsket å kjøpe Ley fordi han drømte om å få et nærere forhold til Anna, var det betenkelig. Kunne han stole på at Irgens ville fortsette å holde tett hvis han selv bestemte seg for å tie med det han visste? Uansett kunne han aldri besøke Ley igjen sammen med Anna av frykt for at hun skulle få vite sannheten. Men om han fortalte alt som det var, var det mulig for dem å gjeste Ley …

– Skal vi få oss litt søvn? foreslo Conrad. – Vi tenker klarere når vi er våkne og opplagte.

– Du har rett. Men jeg er redd for at jeg kommer til å ligge våken store deler av natten. Viljar reiste seg fra den røde brokadestolen og tømte glasset i én slurk.

– Vi kan i hvert fall ikke skylde på harde fottrinn i korridorene hvis vi ikke får sove, sukket Conrad. – Det er jo tjukke tepper overalt, så alle lyder drukner i flossen.

– La oss håpe at også alle tanker drukner … i søvnen, nikket Viljar. – I morgen ser vi kanskje alt med andre øyne. God natt.

2

Det ble en urolig natt for Viljar. Han var blitt pådyttet en opplysning som han godt kunne vært foruten, og han irriterte seg mer og mer over doktorens trang til å betro seg. Anna var lykkelig uvitende om morens flørt i ungdommen, og det burde hun fortsette å være. Så lenge hun ikke selv hadde mistanke om at hun og Rise hadde forskjellig far, var det ingen grunn til å skake henne opp.

Viljar travet rundt i værelset og stanset vekselvis ved vinduet og foran speilet. De nakne føttene gravde seg ned i tykke veggtepper, og han tenkte at slik behagelig velstand kunne de saktens koste på seg i fru Iversen-huset også. Riktignok hadde de mange gulvtepper, men ingen som nærmet seg dette i tykkelse.

– Kan du se Anna i øynene når du kommer hjem? hvisket Viljar til speilbildet sitt. – Uten å fortelle det du vet. Han så selv at det drev et slør av usikkerhet over ansiktet. Blikket var fullt av tvil da han blunket trett og strøk hånden gjennom den grånende luggen. Håret var fortsatt lyst, og det gjorde at gråstenken ikke ble så synlig som hos mørkhårede. Men han var 43 år og en voksen mann, og årene satte sine spor.

Med et sukk snudde han ryggen til speilet og gikk mot vinduet. Sommernatten var lys, og blomstene i hagen strålte like vakkert som om dagen. Mellom rosebusker og andre prydplanter hadde Anna og fru Edel vandret sammen utallige ganger. De hadde holdt rosene opp foran ansiktet og snust inn duftene, og de var skjønt enige om at de gule luktet best. Anna i lett sommerkjole, glad og med en stor kjærlighet til fru Edel og lorden. Hun hadde brukt lang tid på å komme over tapet av foreldrene sine i Bøverdalen, og etter at hun var blitt bedre kjent med Sommervilles, lot hun ekteparet få stor plass i hjertet sitt. Hun trengte ikke å bli kastet ut i en ny virvel av tvil og grubling og vaklende antagelser som ikke førte noe sted.

– Anna har det best om hun ikke får vite … Viljar lente pannen mot en kjølig rute og lukket øynene. Verken Marit Sofie eller Torolf, foreldrene hun hadde vokst opp med, hadde fortalt henne sannheten, og det betydde vel at de mente det var best slik. Hvorfor skulle hun da få nyheten mange år etter deres død?

– Og det som er best for Anna, *må* være styrende

for min avgjørelse. Stemmen var som et nesten uhørlig pust mot vinduskarmen. – Jeg elsker Anna, og jeg vil ikke at hun skal plages med meningsløse grublerier.

Viljar rettet ryggen og så ut på nattedisen som smøg seg langs spaserstiene. Egentlig var vel spørsmålet om han selv kunne leve med det han visste, uten å røpe noe. For hvem andre enn doktoren ville ha glede av at Anna visste? Med langsomme skritt gikk han mot skjenken, der det stod et utvalg flasker. Han gravde tærne dypt ned i teppet da han skjenket seg et glass gyllen whisky. *Laphroaig, Pure Malt Whisky* leste han og skyllet ned drikken i én slurk. Lordens favorittdrikk. *Bottled by Alex. Ferguson & Co. Glasgow.* Viljar skjenket i på nytt og sank ned i en overdådig lenestol, der han kunne hvile hodet tungt mot stolryggen.

For Annas del ville nyheten om farskapet antagelig bare bety uro og forvirring. For doktoren ville den kanskje føre til at han fikk mer kontakt med Anna, og han kunne gå alderdommen i møte med lettet samvittighet. Men kom ikke en slik kontakt til å bli et gode for Irgens og en belastning for Anna?

Viljar tenkte de samme tankene om igjen og om igjen og forsøkte å finne gode grunner til at han skulle informere Anna. Sannsynligheten for at hun og Irgens kom til å møte hverandre igjen, var liten. Hvis han bare kunne være sikker på at doktoren ikke kom til å sende

Anna et brev om saken, kunne det være det samme med hele farskapet.

– Til helvete med Irgens, mumlet Viljar og tok en slurk av glasset. Han kjente drikken som ild i halsen før den spredte seg som en behagelig varme i kroppen og la et tåketeppe over tankene. – Anna trenger ikke å vite, og jeg er da kar nok til å holde på det jeg vet. Min vakre kone skal slippe å få den opprivende beskjeden.

Viljar reiste seg og stilte seg opp foran speilet på nytt. Ranket ryggen. Hevet glasset, og så seg selv inn i øynene.

– Skål for den avgjørelsen, mann. Han tømte glasset med et brått kast på hodet og tørket seg om munnen. – Visst faen skal du skåne Anna for dette. God natt, Viljar.

Det måtte flere håndfuller kaldt vann til før Viljar følte at han var klar for morgenmat. Til sist kylte han hele ansiktet ned i vaskefatet og gurglet bobler i vannet. Men han husket sin egen beslutning fra natten, og han var fortsatt enig med seg selv om at *det* var den beste løsningen.

Ved frokostbordet hilste Conrad muntert på vennen. Han trengte ikke å spørre, men fastslo det han så.

– Ikke en enkel natt, skjønner jeg. Kom det noe ut av den? Advokaten var ulastelig antrukket i dress og hvit skjorte, og han så ut til å ha sovet godt. Da Susie skjenket te, sendte han henne et høflig smil og roste utvalget av mat på bordet.

– Ja. Jeg har bestemt meg for at jeg ikke vil si noe til Anna, svarte Viljar og nippet til teen. – Det er best sånn, og jeg må be deg om å være lojal.

– Du vet at du kan stole på meg. Conrad kakket toppen av et kokt egg og drysset på salt. – Jeg skal ikke påstå at dette er en fillesak, men Anna lever godt uten å kjenne til historien. Hvis det er greit for deg, synes jeg du har tatt et riktig valg.

– Takk for støtten. Viljar bad Susie om å lage en kopp ekstra sterk kaffe, hvis de hadde kaffe i huset.

– Selvfølgelig, neide piken litt fornærmet. – Jeg har jo ventet på besøk fra Norge, og jeg husker hvilke vaner dere har. Kaffen er allerede klar.

– Hun fortjener en påskjønnelse, mumlet Conrad mellom to munnfuller egg. – Flink pike.

– Jeg skal sørge for det. Viljar kviknet til så snart han fikk litt kaffe og litt mat i seg. – Hun har vært en trofast pike for lorden og en god støtte for Anna og Rise.

– Hva bringer dagen? Conrad var irriterende kvikk denne morgenen. – Skal vi ta en prat med advokaten i Newcastle og høre om han har funnet andre kjøpere?

– Nei. Vi reiser heller på leggplassen og ser til gravene. Etterpå besøker vi Alex Burn og Shirley. Det er gode venner av oss, og de kan sikkert fortelle litt om den siste tiden lorden levde.

– Og i morgen?

– Da går vi gjennom huset og ser om det er noe vi bør ta med hjem til Anna og Rise. Et minne fra Ley. Jeg tror de kommer til å sette pris på det, selv om de har sagt at det ikke er noe de ønsker seg herfra. Jeg vet blant annet at Rise blir glad for å få noen av bøkene i biblioteket, og Anna ... Viljar snudde seg mot Susie, som kom inn i rommet. – Hva tror du Anna ville like å få som et minne herfra?

– Et par av silkeskjerfene til fru Edel. Svaret kom fort og bestemt. – Jeg har pakket ned klærne, både fruas og lordens, men jeg har holdt unna noe som jeg tenkte kunne være av interesse for Anna og Rise.

– Du er veldig omtenksom, Susie. Hva gjør vi med alle klærne? Dette er en stor garderobe.

– Gir den til kirken eller til nonnene, kanskje.

– Hva med deg selv? Er det ikke noe i fru Edels garderobe *du* kan bruke?

– *Jeg?* Susie så forskrekket på Viljar. – Folk vil bare tro at jeg har stjålet klærne.

– Ikke hvis jeg gir deg dem så andre ser det. Viljar så strengt på piken og gav ordre. – I dag tar du deg god tid og plukker ut de plaggene du vil ha, og som du kan ha bruk for. Det kan være tre eller tretti, eller enda flere.

Bare gjør det, og legg alt sammen til side så jeg kan kjøre det hjem til deg i morgen kveld. Jeg skal sørge for at folk i landsbyen får vite hva for ærend jeg er ute i, og så kan de bare prøve å anklage deg for noe i ettertid.

– Men jeg får lønn for å være her i et år.

– Skulle bare mangle. Viljar ble nesten litt skremt over hvor lett det var å gli inn i rollen som herre i huset.

– Dette er et ønske fra Rise og Anna, og ikke vær beskjeden.

– Tusen takk. Susie neide og tørket en tåre. – Det er for mye, jeg …

– Du fortjener alt sammen. Etter at vi har reist, er det for sent.

Susie spurte ikke mer, men skyndte seg å fylle opp kaffekoppen til de to herrene før hun forlot rommet.

Overjægermesteren stod klar med en vogn da Viljar og Conrad var ferdige med frokosten. Han tok på seg oppdraget som kusk, og kjørte først til leggplassen, der lorden og fru Edel var gravlagt. Det var reist en solid stein ved graven, men den var ikke prangende. Det eneste som skilte den ut fra de andre gravsteinene, var at det vokste friske roser der, og at den var nystelt.

– Det er mange som ser til gravstedet, forklarte kusken. – Susie passer på, men hun forteller at det nesten alltid har vært noen og stelt med blomstene eller satt ned nye planter her.

– De hadde mange venner. Viljar stanset i ærbødighet foran graven. – Og de fulgte hverandre tett. Vi vil alltid huske David og Edel som varme og kjærlige mennesker.

– Til og med mange av gruvearbeiderne som i sin tid var sinte på lorden på grunn av dårlige lønninger, kommer hit til graven, fortalte overjægermesteren. – De skjønner nok at han ikke var så urimelig som de ville ha det til. Lorden gjorde mye godt for landsbyen.

– Sånn er det, sukket Conrad. – Først etter vår død blir vi hyllet.

– Det var fint å få se gravstedet. Nå kan jeg fortelle Anna og Rise at det er en solrik og fredelig plass. Viljar bøyde seg ned og la fire roser på graven. En hilsen fra Anna, Rise, Torodd og ham selv. – Fra fjellrosene … hvisket han. – Med takk.

Dagen var varm og solfylt da de kjørte videre. Et bud var sendt i forveien, slik at Alex og Shirley Burn skulle være forberedt på besøket. For å gi Burns litt tid på seg stanset de flere steder langs veien, og tok seg tid til å beundre shirehester, smake på det lokale brygget, studere steingjerder og se på hus med kobbertak. Conrad var spesielt opptatt av den fine, grønne fargen på kobbertakene som var noen år gamle, og han lurte visst litt på om han selv skulle bytte ut taket på huset sitt i Norge.

– Det blir i hvert fall et tak som kommer til å skille seg ut fra alle andre tak på Lillehammer, bemerket Viljar. – Skaff deg en shirehest også, så er du sikker på å få oppmerksomhet.

– Hvis det finnes bikkjer som er like store som de digre hestene, skal jeg tenke på det, lo Conrad. – Noen ganger har jeg virkelig ønsket meg en kraftig vakthund.

– Det hadde vært noe å pusse på Dalgård når han ypper til krangel, svarte Viljar tørt. – Men nå sitter han vel trygt bak lås og slå en stund. Skal vi kjøre det siste stykket til Alex og Shirley?

Bordet stod dekket, og karene ble tatt vel imot av de engelske vennene. Alex forklarte at han hadde overtatt den vesle kunsthandelen til faren sin, og ved siden av gårdsdriften klarte de seg godt. Pianoet, harpene til Shirley, alle skulpturene inne og ute, møblene og tjenestepikene tydet på at han hadde rett, men han bedyret at han var bekymret for skattene og avgiftene i framtida. Foreldrenes gård ville han ikke overta, for *det* kom bare til å bli en enorm – en gargantuan – arveavgift til staten, sa han med et fornemt skuldertrekk.

Alltid det samme, tenkte Conrad. Jordeiere og velstående klaget på skattene, men han undret seg på om det virkelig *var* så ille som de ville ha det til.

– Hva skjer med Ley? spurte Shirley da de hadde utvekslet nytt om familiene. – Blir eiendommen solgt?

– Det ser slik ut. Anna og Rise kan ikke beholde den, og hvis noen vil kjøpe, er det best slik. Viljar tørket seg om munnen med en solbleket linserviett og lurte på hvor mye han skulle si om Leys skjebne. – Vi håper at noen vil drive stedet, slik at det ikke forfaller.

– I disse tider kan det vel bli vanskelig, mumlet Alex. – Jeg kan ikke tenke meg hvem som har råd til en slik investering.

– Det kommer vel an på prisen, *det*, skjøt Shirley inn. – Ley er en staselig eiendom som mange kan ha lyst på.

– Kanskje noen vil fortsette å drive bryggeriet, sa Viljar prøvende. – Og det går sikkert an å drive andre virksomheter der også.

– Men stedet er ikke så godt egnet for å drive salg. Alex blunket og så troskyldig på Viljar. – Hvis noen skulle komme på å drive butikk der, mener jeg.

– Tenker du på ølsalget? De flaskene blir jo fraktet ut til salgsstedene.

– Nei, bryggeriet er noe for seg selv. Alex ristet på hodet og puttet en reddik i munnen. Det knaste sprøtt og saftig da han knuste den med tennene. – Jeg tenker mer på salg av … bøker, eller sko eller cigarer … eller malerier og skulpturer, for den sakens skyld. Det tror jeg kommer til å gå dårlig.

– Hvorfor det? Viljar ble på vakt, for han synes at det

siste kom litt *for* tilfeldig. – Tror du ikke at folk vil ta seg bryet med å gå opp til huset på høyden for å handle?

– De må ha noe å handle for, svarte Alex fort. – Her i omegnen bor det mest småbønder og arbeidere som strever med å få endene til å møtes.

– Tja, du kjenner vel markedet, du som driver kunsthandel, skjøt Conrad inn. – Hvordan går salget?

– Jeg nyter godt av den kundekretsen faren min har opparbeidet seg i løpet av årene, så jeg selger bra. Men det vil bli ugreit om det kom flere kunsthandlere i området. Det finnes allerede noen i Durham by og i Newcastle. Alex så skarpt på Viljar og Conrad etter tur. – Jeg tenker at det samme gjelder for dem som selger spaserstokker eller paraplyer også. Blir det for mange utsalg, blir det ingenting igjen til den enkelte.

– Det kan du ha rett i, mumlet Conrad. – Særlig når det gjelder så spesielle varer som kunst.

– Ley kan nok være en fin ramme rundt et kunstutsalg, fortsatte Alex, – men det skal mer til enn staselige omgivelser for å selge godt.

– Tror du at du vil få en konkurrent hvis Ley blir solgt til en som ønsker å drive med ulike aktiviteter der? Viljar lurte på om Alex kjente til doktorens planer. Det ville i så fall ikke vært noen overraskelse, for doktoren hadde sikkert luftet planene sine med flere.

– Vet ikke, blunket Alex. – Men hvis det blir tilfellet,

skal jeg nok sørge for at det kommer til å gå dårlig med salget der borte. Jeg har mange bekjentskaper ...

– Ja ja, sukket Viljar blidt. – Dette får bli en sak for nye eiere. Vår oppgave er å få gjort opp arven, og kanskje gir vi bort hele eiendommen, ... til nonnene.

– Det lyder litt overilt i mine ører, skjøt Shirley inn. – Men det er sikkert noe som Anna og Rise ville likt. Og nonnene er flinke til å drive med jorda. Det hørtes nesten ut som om Shirley ivret etter en slik løsning, men at hun prøvde å legge bånd på seg. Viljar ble mer og mer overbevist om at vennene kjente til doktorens planer, og at de fryktet konkurranse. Det i seg selv var ikke urovekkende, men truslene om at Alex aktivt ville prøve å ødelegge for nye kunstutsalg, var nedslående.

– Vi får høre om advokaten i Newcastle har funnet en kjøper, rundet Viljar av. – Før vi reiser fra England, må alt være i orden.

– Da håper jeg at omegnen får et nytt nonnekloster i nærmeste framtid, sa Shirley. – Nonnene gjør mye godt, og de er arbeidsomme.

– I det minste håper jeg at det ikke blir noen kunsthandel på Ley. Alex drakk ut av tekoppen og satte den fra seg med et bestemt klirr mot skåla. – Lorden ville sikkert ikke ha likt det om hjemmet hans ble en trussel mot etablerte virksomheter i området.

Viljar svarte ikke, bare svelget hardt og takket for

maten. Han likte dårlig den selviske tonen til vennen. Ordene til Alex virket mer som en rød klut, og beslutningen om å selge Ley til doktor Irgens ble bare sterkere. Jo raskere, desto bedre.

Så snart Viljar og Conrad kunne bryte opp uten å virke uhøflige, takket de for seg og satte seg i hestevogna. Shirley håpet at hun og familien en gang kunne komme på besøk til Norge, og Viljar måtte hilse så mye til Anna og Rise og si at hun gledet seg til å se dem igjen. Han nikket og tenkte at dette var ord hun hadde sagt mange ganger tidligere, men han tvilte på at de noen gang kom til å se familien Burn i Norge.

– Lykke til med salget, ønsket Alex. – Og husk at det er vanskelige tider for alle, også kunsthandlere.

Viljar og Conrad satt i dype tanker på tilbakeveien, men da de nådde Ley og trillet inn i bakgården, slo Viljar knyttneven i hånden og strammet leppene bestemt.

– Det er avgjort. Salget kan gjennomføres. Doktoren får tilslaget. Det er bare å sende bud til Irgens og til advokaten.

Conrad hadde ingen spørsmål eller innvendinger. Han forstod hva kameraten tenkte. Nå var det bare å sette opp kontrakt og å underskrive papirene, så kunne de reise hjem igjen.

Dagen etter gikk Viljar og Conrad en runde i huset. Det var mange rom på Ley, og de fleste hadde Viljar aldri vært inne i. Store og små gjesteværelser stod nedstøvet og kalde og ventet på bedre tider. I de ulike salongene var det trukket laken over møblene, og tykke gardiner holdt sollyset ute. Da de kom til festsalen, ble Viljar stående lenge på galleriet og dvele ved minnene. Tro om det noen gang kom til å bli holdt slike overdådige selskaper som i lorden og ladyens tid? Han så for seg et vell av fargerike, brusende ballkjoler ved siden av kostbare dresser, høye snipper, silkeskjerf og klokkelenker i gull. Det var nesten uvirkelig at han hadde vært en del av det hele.

– Utro tjenere og avindsjuke gjester hørte kanskje med til festlighetene, foreslo Conrad. – Jeg kan godt forestille meg at det var livlig når hestevognene kom kjørende og festkledde par ble tatt imot ved inngangen.

– Det er sikkert, og jeg innrømmer at jeg hygget meg. Viljar gikk ned i salen og skrittet over gulvet. Skoene hans lagde spor i støvet og røpet at det var lenge siden noen hadde danset på denne parketten. – Jeg håper at doktoren kan gjøre stas på denne salen igjen. Det går an å samles til hyggelig lag under litt enklere former enn det lorden var vant til.

Viljar ristet av seg minnene og gikk videre. De så seg om i bryggeriet og i vaskeriet i kjelleren. Ingen av stedene var en lys og trivelig arbeidsplass, men i sin tid hadde de gitt arbeid til mange. Særlig vaskeriet.

Da karene til slutt gikk forbi de buehvelvede kjellerbodene som luktet rå stein og dampet kaldt, mintes Viljar hva Rise en gang hadde fortalt. Det var visst noen som hadde brukt kjellerbodene til å sove i, og til å stelle syke i. Uten at lorden visste om det. Men han husket ikke detaljene, så han lot være å fortelle Conrad om dette.

– *For* et hus, utbrøt Conrad da de til slutt kom ut i den innelukkede hagen. – Skremmende og forlokkende på samme tid. Jeg skjønner ikke hvordan doktoren skal klare å utnytte alle rommene.

– Det klarer han ikke. Med mindre han starter overnattingssted for reisende. Hotell Ley, det høres ikke så galt ut. Viljar så opp mot skyteskårene på toppen av tårnbygningene og tenkte at den kolossale bygningen virkelig så dyster ut. Han ble mer tungsindig og alvorsfylt enn blid og glad av å studere byggverket. Det var parken og hagen som gjorde stedet lyst og vennlig.

– Lorden brukte vel heller ikke alle rommene hele tiden, mente Conrad. – Det er jo ofte slik med store hus at deler av dem blir stående ubrukt.

– Biblioteksalongen ble i hvert fall flittig brukt, svarte Viljar. – Gå inn og få deg en kopp te, så ser jeg innom de private værelsene. Kanskje det er noe der som Anna og Rise vil ha.

Han nølte litt utenfor døra til det som hadde vært

David og Edels soveværelse og private salong. Han hadde aldri vært der inne før, og det føltes rart å se den store dobbeltsenga, som stod kjølig tildekket med et tungt siilketeppe. Bak et skjermbrett skimtet han rullestolen til Edel, og ved den ene senga stod et stativ med forskjellige spaserstokker. Speil og dørhåndtak på skapene var plassert i lav høyde slik at Edel kunne nå alt fra rullestolen. Til og med senga hadde ekstra lave bein, slik at frua hadde hatt mulighet til å ake seg over fra stolen ved egen hjelp.

Rommet luktet friskt og var nyvasket. En stabel esker stod inntil veggen ved siden av sofaen, og på salongbordet lå to atskilte bunker med klær og utstyr. Viljar trodde først at det var dette Susie hadde valgt seg ut, men så fikk han øye på noen få plagg over en stolrygg. I det samme banket det på døra, og tjenestejenta kom inn.

– Jeg har lagt til side noen småting som jeg tror Anna og Rise vil bli glad for, sa Susie stille. Hun gikk til bordet og forklarte. – Disse silkeskjerfene vet jeg at Anna likte godt, og hun beundret alltid brevpressen med den innstøpte rosen. Susie veide brevpressen i hånden. – Den er tung, men du får den vel med i bagasjen. – Så er det kniplingskragene, innejakkene med perleknapper, hårspennene av sølv og capen av reveskinn. Jeg synes Anna skal ha dette.

– Men er det ikke noe *du* vil ha av disse tingene? Viljar trodde at Anna ville bli glad for alt sammen, men han visste at hun også unte Susie det beste.

– Nei, nei. Jeg *har* funnet noe til meg selv. Men først må jeg vise deg hva jeg har samlet til Rise. Her er to silkeskjerf som jeg vet at hun fikk låne av frua ved et par anledninger. Så er det reiseskrivesettet i elfenben. Fru Edel var på utkikk etter et makent for å gi til Rise, men hun fant aldri et som lignet. Susie løftet deretter opp to hårkammer av perlemor, et fløyelshalsbånd med påsydd kamé, en halvlang jakke i ekstra fin ull og en pelskrage som kunne sitte tett rundt halsen.

– Tror du Rise og Anna vil like dette? Susie så med blanke og spente øyne på Viljar. – Jeg glemmer aldri at de trodde på meg den gangen jeg ble oppsagt.

– Jeg er sikker på at de vil bli glade for alt sammen. Og så kommer de til å minnes alle de gode stundene på Ley. Tusen takk, Susie. Vis meg nå hva du har plukket ut til deg selv.

– Her. Susie gikk til stolen og pekte på tre plagg. – Den varme jakken vil jeg gjerne ha. Så fant jeg et par tykke vinterhansker og et ullskjørt. Skjørtet har god fald, og når jeg får lagt det ned, vil det passe perfekt. Hun blunket unnselig mot Viljar og lurte på om hun hadde vært for grådig.

– Men Susie, er det ikke noe mer? Dette er jo ingenting, Det må være flere plagg du kan bruke. Viljar ble nesten oppgitt over slik beskjedenhet.

– Frua hadde mye fint tøy. Det er nok mange solide plagg i garderoben hennes, men jeg kan ikke …

– Visst kan du! avbrøt Viljar. – Jeg er sikker på at fru Edel hadde noen gode kåper som du kan bruke. Og hva med flere skjørt og noen innejakker og bluser og hatter? Han slo ut med armene og smilte mot tjenestepika. – Jeg har liten greie på kvinneplagg, så dette *må* du klare med selv. Men det er en ordre at du finner noen flere ting. Etter arbeidstid i aften kjører jeg alt sammen hjem til deg. Forstått?

– Men …

– Skjønner du hva jeg sier, eller snakker jeg så dårlig engelsk at det er uforståelig? Viljar gjorde seg påtatt brysk, og lokket fram et smil hos Susie.

– Du snakker bra, og jeg forstår. Tusen takk, herr Viljar. Jeg skal plukke ut noen flere plagg.

– Fint. Da kan du ta fri etter at middagen er servert. Viljar ventet til Susie hadde forlatt rommet, så la han sakene til Anna og Rise i en eske som stod klar. Ingen av dem hadde bedt ham om å ta med noe spesielt fra Ley, så han visste ikke om det var andre minner som kunne være av interesse. Men han lukket ikke esken i tilfelle han kom over noe mer som han ønsket å ta med til Norge.

Under middagen med Conrad snakket de om mulige klausuler i kjøpekontrakten. Advokaten lurte på om han ville forby Irgens å leie ut til en kunsthandel, eller om Rise og Anna hadde spesielle krav når det for eksempel gjaldt stell av hagen og blomsterfloret. Men Viljar ristet bestemt på hodet.

– Nei, tvert imot. Jeg synes Alex Burn viste seg som en selvopptatt småkonge slik han snakket. Det er klart at de fleste handelsmenn vil hegne om eget utsalg, men det er et dårlig trekk at de bevisst går inn for å ødelegge for andre. De får konkurrere på vareutvalg og på pris. Viljar fingret med saltkaret og så meget bestemt ut. – Jeg håper virkelig at doktoren lykkes i å leie ut til en kunsthandler som er flink, og som selger godt. Men det er ett punkt jeg gjerne vil høre din mening om.

Conrad hadde lagt fra seg bestikket og ventet. Det ante ham hva vennen tenkte på, og det var kanskje ingen dum tanke. I det minste ville Viljar føle seg roligere hvis de satte én betingelse for kjøpet …

Litt senere på kvelden tok Viljar selv tømmene og dro inn til landsbyen. Han var i godt humør og følte at salget og kontraktlyden var avgjort. Conrad hadde støttet ham på det punktet som var viktig, og nå gjenstod bare den engelske utformingen og de formelle sidene ved salget. Hvis alt gikk i orden, kunne de snart reise hjem igjen. Viljar hadde ikke behov for å være i England lenger enn nødvendig, for i løpet av de siste dagene føltes Ley mer og mer som et fremmed sted. Vissheten om at herregården snart var i andres eie, og at han sannsynligvis aldri kom til å gjeste Ley igjen, gjorde det lettere for ham å reise. Kapittelet om lorden og ladyen på Ley var snart historie.

Midt på torget stanset Viljar hesten, og spurte et par koner om veien til Susie. Han fortalte at han skulle levere en sending med tøy til tjenestepika. Det var klær som fru Edel ville at Susie skulle ha som takk for de årene jenta hadde tjent på Ley, sa han. Han fikk straks forklart veien, men han fikk også lange blikk med seg videre. Akkurat slik han hadde håpet på. Det tok nok ikke lang tid før alle visste at Susie hadde fornyet garderoben sin, og litt avindsjuke kom det nok til å bli. Men ingen skulle beskylde henne for tjuveri, *det* var i hvert fall sikkert.

– Jeg kommer med en takk fra fru Edel på Ley, sa Viljar høyt. Fra øyekroken så han grannene som kikket nysgjerrig fra vinduene, eller som gjorde seg ærend utenfor. Susie bodde i en enkel, leid leilighet i et toetasjes murt rekkehus, og de fleste var hjemme på denne tiden. – Dette er noen utvalgte klær som Lady Sommerville hadde lagt til side før sin død, og som lorden mente at du skulle ha. Viljar snakket høyt og gjorde et nummer av overleveringen.

– Nei men, så mye … Susie trengte ikke å late som, for esken med klær var stor og full. Mye større enn den hun hadde pakket tidligere på dagen.

– Du får bruke det du kan, sa Viljar. Denne gangen med litt lavere stemme. – Dere kvinner er flinke med nål og tråd, så om ikke alt passer perfekt …

– Tusen takk, herr Viljar. Tårene stod i øynene til tjenestejenta. – Men det er mer enn jeg …

– Jeg la med noen ekstra plagg. Anna pleier å si at alt kan sys om.

– Tuen takk. Susie neide for tredje gang og tok imot. – Jeg kommer i morgen tidlig.

Viljar smilte og blunket lurt, før han snudde seg og bukket lett til naboene. Så satte han seg i vogna og smelte med tømmene. Nå gjenstod bare det aller siste.

3

Tre dager senere kom advokat Baker fra Newcastle og Alfred Irgens til Ley. Karene var samlet i biblioteket, og det var en litt høytidelig stemning. Doktoren hadde ikke fått annen beskjed enn at det var enkelte detaljer som måtte utredes før den endelige beslutningen kunne tas, og at de ønsket en ny samtale.

Mens han fortalte om planene på nytt, slik at lordens advokat også fikk kjennskap til detaljene, satt Viljar godt tilbakelent i brokadestolen og lyttet. Han studerte Irgens og lette etter likhetstrekk med Anna, men han kunne ikke finne annet enn at de begge hadde en svært behagelig væremåte. Beslutningen han hadde tatt med hensyn til farskapet, kjentes riktig, og hvis Irgens ikke hadde innvendinger, kunne papirene snart underskrives.

– Vi liker planen din, sa Viljar da det ble stille.
– Den er i arvingenes ånd. Men jeg har et spørsmål

til deg. Kjente lord Sommerville til ditt slektskap med Anna?

– Nei. Svaret kom raskt og bestemt. – Ingen her kjenner til det. Hva mor hennes har fortalt i Norge, vet jeg ikke noe om.

Viljar var på underlig vis lettet over å høre dette. Så slapp han å gruble over om lorden hadde hatt en baktanke med å føre Irgens og Anna sammen. Eller om testamentet hadde noe med doktoren å gjøre.

– Hvis du får kjøpe Ley, så er det på én betingelse, fortsatte Viljar. Han nølte litt, men fikk et kort nikk fra Conrad. – Det er at du aldri forteller Anna om farskapet.

Det rykket til under skjegget, men doktoren vek ikke med blikket. Stillheten som fulgte, var mettet med spenning, og Viljar tenkte i det samme at Irgens kom til å avslå. Og hvis han gjorde det, betydde det bare at han ønsket å fortelle Anna sannheten om hennes opphav. I så tilfelle var dette møtet bortkastet.

– *Du* vil ikke fortelle henne det? spurte Irgens etter en stund. Stemmen var litt grøtet. Det var vanskelig å si om han var skuffet over kravet, men han virket like rolig, og hendene lå stille i fanget.

– Nei.

– Det overrasker meg ikke. Kanskje er det et veldig klokt valg. Doktoren strøk seg over det velstelte skjegget med vante fingre. En bevegelse han gjorde mange ganger om dagen. – Anna lever nok godt i den tro at hun og søsteren har samme mor og samme far, nikket Irgens. – Hun trenger ikke å vite sannheten. Jeg skjønner deg.

– Det hadde ikke *jeg* trengt heller, glapp det ut av Viljar. – Men når jeg nå *gjør* det, prøver jeg å tenke på hva som er best for Anna. Så lenge hun selv aldri har sagt noe som kunne tyde på at hun er i tvil om opphavet sitt, er det ingen grunn til å gjøre henne opprørt.

– Nei. Du kjenner henne jo best, og jeg må bare stole på at du har rett. Doktoren virket ikke opprørt eller sint, snarere virket det som om han hadde forventet noe slikt. – Jeg respekterer din avgjørelse. Jeg lover at *jeg* aldri skal fortelle henne det. Det får bli opp til deg.

– Da tror jeg at vi har kommet til enighet, sa Viljar. – Er du fortsatt villig til å kjøpe Ley?

– Det er jeg. Hvis du kan godta budet mitt. Nå så Irgens spent på Viljar og på advokaten. – Hvis noen andre har kommet med høyere bud, kan jeg ikke være med.

– Kanskje vi har fått bedre bud, svarte Baker forretningsmessig. – Men det er herr Knutsson som bestemmer hvem han vil selge til.

– Og jeg har bestemt at Ley skal selges til Alfred Irgens. På én betingelse.

– Enda én? Nå var det flere enn doktoren som hevet brynene og så spørrende på Viljar. Conrad hadde ikke hørt om andre krav enn det som allerede var stilt, og han lurte på hva vennen hadde i tankene. Herr Baker så også tvilende på Viljar og lurte på om han måtte utforme hele salgsavtalen på nytt.

– Ja. Én betingelse til, nikket Viljar hemmelighetsfullt. – Men den betingelsen tror jeg ikke vil være så vanskelig å godta. Han festet blikket på Irgens og smilte forsiktig. – Du får godta den prisen jeg forlanger.

Doktoren åpnet munnen for å gjenta at han ikke kunne betale en shilling mer enn han hadde tilbudt, men Viljar kom ham i forkjøpet og fikk alle til å sperre opp øynene. Han hadde nemlig bestemt seg for at doktoren fra Durham skulle få kjøpe Ley til en betydelig lavere pris.

– Du trenger litt kapital til å ruste opp stedet og komme i gang med virksomheten, mente Viljar. – Anna og Rise arver nok penger etter David og Edel, og alle ønsker at du skal lykkes.

– Som min norske bestefar pleide å si når han ble svært overrasket: Jeg er i full befippelse. Irgens snappet etter luft som om han skulle ha løpt opp trappene i alle fire tårnbygningene. – Dette er en av de hyggeligste betingelsene jeg noensinne har vært borti, og det går selvfølgelig ikke an å takke nei. Men …

– Da synes jeg at herr Baker skal gjør klar papirene, så vi kan underskrive.

– Jeg lover at jeg skal ta godt vare på eiendommen, forsikret doktoren mens advokaten skrev ferdig avtalen. – Og jeg gleder meg til å flytte inn. Han slo ut med armene og sukket. – Selv om det blir rart å tråkke i de samme korridorene som lorden, tror jeg at minnene om Sommervilles vil gi meg arbeidslyst og styrke.

– Det er bare å sette i gang, oppmuntret Baker. – Så snart vi har din underskrift, og pengene er utbetalt, er det Alfred Irgens som styrer Ley.

– Hvis du trenger en trofast pike, kan jeg anbefale Susie. Også kokka og overjergermesteren er flinke folk. Viljar tok imot pennen og underskrev. Conrad hadde allerede lest gjennom ordlyden og gikk god for den.

– Da blir det en kjøpsskål, og i aften vil jeg invitere herrene på en god middag fra husets kjøkken. Viljar skjenket i fire små glass, som hadde stått klare på avisbordet. – Skål, og takk for handelen.

– Skål. Og hils til de rette arvingene, kvitterte Irgens. – Dere er alle velkomne hit når som helst. Og uten at noen trenger å være redd for løssluppen tale. Det siste var myntet på Viljar, og da ordene falt, kjente han seg med ett trygg på at doktoren aldri ville bryte løftet sitt.

Resten av dagen brukte herrene til å besiktige eiendommen og alt inventaret. Irgens insisterte på at Viljar skulle ta med seg et par krakker trukket med silke-brokade, noen ridehansker og ridesporer samt noen mindre gjenstander. Og så var det alt som var igjen av smykker etter fru Edel og verdigjenstander etter lor-den.

– Jeg vet at de to gav bort mange kostbare smykker før de døde, men det er mye tilbake. La Anna og Rise dele.

Viljar følte seg ubekvem, men han ble oppmuntret av begge advokatene, og til slutt endte han opp med et stort lass som skulle med til Norge. Da kvelden kom og de satte seg til et nydelig dekket bord, kjente han seg bare tilfreds. Susie hadde pyntet fint, akkurat som i fru Edels tid, og den lille spisestuen var lun og trivelig. Karene snakket litt om Ley og driften, men samtalen dreide seg mest om Norge og livet der. Baker kunne nok tenke seg å følge i lordens fotspor og oppsøke Jotun-fjellene, men han var usikker på om han ville orke den lange båtturen. Han var ikke sjøsterk, og han likte dår-lig tanken på å henge over rekka i et par dager.

– Det er kanskje prisen du må betale for å se herlig-heten, spøkte Irgens. – Men Skottland har natur som ligner litt. Du kan jo starte med å reise dit.

– Der har jeg allerede vært. Baker hevet glasset i en skål for det skotske høylandet. – Ikke til forkleinelse for naboene våre, men Norge virker mer forlokkende.

– Du er velkommen til Lillehammer og til Bøverdalen når som helst, sa Viljar. – Bare send beskjed, så skal vi ta imot deg.

– Med dampbåt er turen gjort på en, to, tre, lo Conrad. – Men det er mindre støyende med en seilskute. Dette ble innledningen til en lang samtale om ulike farkoster, og resten av kvelden gikk med til å snakke om fraktskuter, fiskebåter, passasjerbåter og lange seilaser. Til slutt kunne Irgens fortelle at det var lorden selv som hadde bygd den store flaskeskuta som stod i biblioteket. Det var en kopi av ei seilskute som forliste utenfor kysten av Frankrike for mange år siden. Flere av lordens slektninger hadde vært om bord.

– Den skuta hører til her, avsluttet Irgens. – Her i biblioteket. Uansett hvilke forandringer som blir gjort på Ley, kommer biblioteket og biblioteksalongen til å stå urørt.

Baker og Irgens skulle begge overnatte på Ley, og da klokka tikket mot midnatt, ønsket herrene hverandre god natt. Det hadde vært en god avslutning på arveoppgjøret, og Viljar var fornøyd med resultatet. Nå kunne han vende hjem med god samvittighet.

Denne kvelden sovnet Viljar med det samme han la hodet på puten. Han hadde utført oppdraget for Anna og Rise, og han hadde ikke blitt uvenner med noen. Nå var det opp til den nye eieren å bestemme hvordan stedet skulle drives, og det hvilte ingen forpliktelser på fjellrosene i Norge.

Fem dager senere gikk Conrad og Viljar om bord i ei seilskute som skulle til Kristiania. I stedet for å vente på et dampskip tok de den første båten som var klar til å seile, og der det var god plass til all bagasjen de hadde med seg. Da skipet la fra kai, var det ingen som stod på land og vinket farvel til de to nordmennene, og Viljar tenkte at med dette var båndene til England brutt. Men overfarten skulle bli svært så trivelig, for etter at skuta kom ut i rom sjø, viste det seg at skipperen het Sverre Torgilsson, og han tok seg ekstra godt av Viljar og Conrad. Sverre, bror til Jo, viste stolt rundt på skuta, og karene spiste alle måltider sammen. Det ble også mange gode samtaler når skipperen hadde tid, og Sverre likte å høre nytt fra Bøverdalen.

– Verken Jo eller jeg er noen gode brevskrivere, lo Sverre. – Det får heller bli med et besøk i ny og ne. Jeg har fortsatt et ønske om å ta med familien min og gjeste Torgilstad, men det kommer stadig nye oppdrag, og jeg har ikke råd til å la skuta ligge stille.

– Du kjenner vel en stødig og pålitelig kar som kan ta over roret noen uker, lurte Viljar. – Jeg tenker at kona di og ungene dine synes det ville være artig å se hvor pappa vokste opp.

– Nettopp. Og det bør skje før ungene er så store at de forlater reiret. Sverre strøk en brunbarket neve gjennom skjegget og nikket alvorlig. – Jeg er klar for den turen snart. Kanskje neste sommer. Du får hilse Jo og forberede ham.

Det lovet Viljar, og da de til slutt la trygt til kaia i Kristiania, var skipperen allerede i gang med å legge planer for neste års drift. Hvis alt gikk som han ønsket, kom det til å bli folksomt på Nedre neste sommer.

Men sommeren 1880 ble en rolig tid for alle Torgilstadgårdene. Johanne og Åse var sammen noen uker på heimsætra til Nedre mens Olemann hjalp Jo og Fredrik Trond med å utvide aurbua og å sette opp ei ny løe. Fredrik Trond var fast gårdsgutt på Nedre nå, og han var både arbeidsom og lærevillig, og han hadde like godt humør som far sin. Jo hadde stor nytte av gutten, men det var noe rastløst over ungdommen, og det var ikke godt å si hvor lenge han ville slå seg til ro hos Jo og Åse. Når det gjaldt Olemann, var han glad for å slippe å være med mor si på sætra. Han skulle konfirmeres neste høst, og han likte mye bedre å gjøre karfolkarbeid enn å være gjæter. Johanne var glad for at Jo tok seg litt av Olemann, så ble ikke gutten bare gående sammen med kvinnfolka.

På Øvre var det stille i juli og august, for frua ville

selv være noen uker på sætra ved Gjende. Etter at Rise hadde fulgt sønnene til Skjolden, fant hun stor trøst i å drive med melkestell og slått i fjellet, for savnet av guttene var stort. Hun måtte stadig minne seg selv på at de bare var en dagsreise unna, og at de hadde det fint sammen med besteforeldrene i Skjolden. I midten av august kom dessuten Anna og Viljar en tur, og da fikk hun annet å tenke på, for Viljar hadde mye å fortelle fra Ley.

– Det er nok Susie som skal ha æren for alt sammen, sa Viljar etter at Rise hadde pakket opp sendingen fra Ley. – Hun la til side det hun syntes du og Anna skulle ha.

– Jeg håper at Irgens har bruk for henne, sa Rise og fingret med reiseskrivesettet. – Susie er en flink og trofast pike, og hun trenger et fast arbeid. Og så håper jeg selvfølgelig at alt går som doktoren ønsker. Jeg er ikke så sikker på om jeg noen gang vil tilbake til Ley, for alle minnene derfra er så sterkt knyttet til lorden og fru Edel.

– Det samme tenker jeg. Anna la den tette pelskragen om halsen til Rise og nikket fornøyd. – Den passer deg perfekt. Og den er ikke for fjong. Du kan godt bruke den til hverdags.

– Hvordan går det med Storm og Vårin? Trives de med arbeidet? Torodd åpnet vinduet og slapp ut en flue mens Rise pakket ned gavene. De var tilbake på gården etter at fjellslåtten var over.

– Storm gjør det bra i glassverkstedet, og Vårin trives som forgyllerlærling. Viljar smilte litt avvæpnende.
– Vårin er en bestemt, ung frøken, så hun får gjøre som hun vil. Men jeg tenker nå at den utdannelsen er bortkastet. Hun kommer aldri til å arbeide lenge i et forgyllerverksted.

– Hvorfor ikke? Rise så skarpt på svogeren. – Hvis hun trives …

– Å, du sier nøyaktig det samme som Anna, klagde Viljar. – Men vent og se. Jenta finner seg snart en kjæreste, gifter seg og får en hel ungeflokk å stelle for.

– Og så kan hun pusle med forgylling når hun har tid og lyst. Det høres ut som et godt valg. Rise blunket til søsteren og så ertende på Viljar. – Jeg synes hun er modig som trosser folkesnakk og skjeve blikk.

– For ikke å snakke om olme mannfolk, la Anna til.
– Det er ikke alle som liker å få ei jente i verkstedet. Men forgyller Skov har tatt henne godt imot, og han behandler henne som en hvilken som helst læregutt. Hva med Liv?

– Jeg tror hun har det fint i doktorgården, svarte Rise. – Hun klager i hvert fall ikke, og doktorfrua roser henne hver gang vi møtes. Hun får god opplæring i hushold der nede, men jeg savner henne veldig.

– Det er rart å tenke på, skjøt Torodd inn. – Nå konfirmeres den ene etter den andre av ungene, og snart sitter vi igjen her alene.

– Akkurat slik det skal være, sa Viljar tørt. – Så lenge vi ser at ungene skikker seg vel, gjør kloke valg og har det bra, får vi være fornøyd.

– Slik snakker en gammel mann, lo Rise. – Men du er da ikke mer enn i begynnelsen av førtiårene. Snart kan du huske et barnebarn på fanget, og *da* blir det liv.

– Ikke vær så kjepphøy, da. Jeg vet godt at du og Anna fortsatt er i trettiårene.

– Bare ungdommer altså, lo Rise. – Skal vi leke? Kom. Uten å vente på svar fant hun fram en eske med brikker og gjorde plass rundt salongbordet i godstugu.

– Det er ikke ofte vi tar oss tid til slike hyggestunder.

– Domino? Anna så nysgjerrig på brikkene. – Så fint etui.

– Gave fra Dorthea og Ulrik. Når det kommer handelsskip til Skjolden, er det visst mye forskjellig å få kjøpt.

– Både brikkene og etuiet er av hvalbein, forklarte Torodd. – Og innsiden av etuiet er fôret med tre. Det er godt håndverk.

– Fine utskjæringer på lokket også, bemerket Anna.

– Vi må jo nesten prøve om brikkene duger.

De voksne moret seg med spillet utover kvelden, for det var ingen barn på Øvre nå. De to yngste barna til Anna og Viljar var på sætra sammen med Linnea og Øyvor, og alle fra Barnehuset hjalp til med sæterstellet. De fem brødrene som hadde kommet sist, viste seg å være greie gutter, og de protesterte aldri når de ble tildelt arbeid. Ikke engang når de måtte tjene som budeirull, hjelpegutter på sætra, var det uvilje.

– Jeg skal forresten hilse fra Karoline Enger, sa Anna da spillet var ferdig. – Hun er blitt mye blidere og mer avslappet etter at ekteskapet med Finn ble oppløst. Neste sommer vil hun visst gjerne besøke slektninger i Sogn, og da kommer hun forbi her.

– Hun er velkommen innom. Men midt på sommeren finner hun ikke mange her på gården. Jeg trives så godt med å være på sætra, at jeg kommer til å være i fjellet så lenge som mulig. Øynene til Rise glødet varmt når hun tenkte på høyfjell og vidder.

– Så reiser hun bare forbi. Hun farer uansett denne veien. Og hvem vet, kanskje får hun følge av bror sin også. Reier gjør det veldig bra og får godt betalt for maleriene sine nå. Selv om jeg leser at det er ulike strømninger innen malerkunsten, tror jeg at hans stil vil være etterspurt i mange år framover.

– Jeg ønsker ham alt godt, mumlet Rise. – Og vi gleder oss daglig over de vakre maleriene han malte da han var her for noen år siden. I dag hadde vi kanskje ikke hatt råd til å kjøpe malerier av Reier Dahl.

– I dag har du råd til hva som helst, bemerket Anna stille. – Arven fra England har gjort oss velstående ...

– Jeg skal bruke pengene til å kjøpe to–tre små gårder, svarte Rise fort. – Håpet er at barna skal få sitt eget bo når den tid kommer. Men de skal selv få velge hva de vil gjøre med eiendommene. Jeg tror ikke at alle kommer til å bli boende her i traktene.

– Hvorfor ikke? Viljar så granskende på svigerinnen. – Skal du jage dem på dør?

– Liv skal på lærerinneseminar i Trondhjem om et par år, og etter seminaret er det ikke sikkert at hun flytter tilbake. Svein Ulrik og Lars får kanskje smaken på Vestlandet med fiske og båt og fruktdyrking og ishandel. Hvem vet?

– Men det er Svein Ulrik som er odelsgutt til Øvre?

– Ja. Men det er ikke dermed gitt at han *vil* overta. Se bare på Sverre, eldste sønn til Torgil Torgilstad. Han sa ifra seg hele odelen og ble skipper på egen skute i stedet.

– Mye kan skje før ungene er store nok til å drive for seg selv. Torodd reiste seg og gjespet. – Men det skader ikke å tenke litt på framtida.

– Vi gjør jo det samme selv, sa Anna henvendt til ektemannen. – Setter arvepengene i eiendom som er øremerket barna. Det kjennes godt å vite at ungene ikke starter med tomme hender.

– Men de har ikke vondt av å lære seg at hardt arbeid gir resultater. Viljar fulgte Torodds eksempel og reiste seg for å gå til sengs. – Kanskje de til og med kommer til å like å svette litt. Enten over glassovnen eller over greipet og høygaffelen. Vi er forbannet heldige som kan gi ungene våre økonomisk støtte. Men det aller viktigste er likevel at de blir trygge og redelige borgere.

– Du får siste ordet i kveld, bestemte Rise. – Takk for spillet, og for at dere knuste meg. Jeg er nok bedre til å spille bukkehorn enn domino. God natt.

Den siste søndagen Anna og Viljar var på Øvre, kom Liv en tur til Bøverdalen. Hun hadde fri, og ofte fikk hun skyss oppover dalen når hun besøkte familien. Hun var i ferd med å bli en voksen kvinne, og hun så eldre ut enn sine femten år. Det lange, lyse håret var flettet i en krans på hodet, og ansiktet lyste friskt og ungdommelig. Rise merket seg at ansiktet var litt blekere enn vanlig, men det skyldtes nok at hun hadde innearbeid i doktorgården. Da hun bodde på Øvre, fikk hun være mye ute, og sommeren igjennom var hun på sætra. Nå var det andre tider.

– Doktorfrua er snill, fortalte Liv. – Iblant får jeg være med på kjøkkenet, der jeg lærer å lage nye retter, og det er artig å servere gjester. De har ofte besøk fra Trondhjem, og hvis jeg kommer inn på lærerinnekurset, kan jeg få bo hos vennene til doktoren.

– Du passer vel arbeidet ditt? spurte Rise urolig. Tjenestejenter skulle ikke føre samtaler med gjestene.

– Ja, selvfølgelig. Det er doktorfrua som vinker meg til bordet for å prate. Alle er så trivelige. Og de skryter av lærerinnekursene. Jeg kan søke meg dit når jeg har fylt sytten år. Liv ble ivrig når hun snakket om utdannelsen.

– Det er kanskje mange kvinner som vil undervise, lurte Anna. – I så fall kan det bli vanskelig å komme inn på kurset.

– Ja. Men det er lærerinnekurs og seminarer mange steder i landet nå. Jeg kan komme med på kurs andre steder.

– Du blir en god lærerinne, det er jeg sikker på. Og vil du hardt nok, får du den utdannelsen du ønsker deg. Bare se på Vårin. Hvem skulle tro at den jenta ville begynne i forgyllerlære?

– Kanskje du kommer til å like deg så godt i Trondhjem at du blir der, sukket Rise. – Det blir trist for oss om du flytter langt unna, men så kan vi komme på besøk.

– Jeg vil tilbake hit og undervise, sa Liv bestemt. – Og om sommeren vil jeg være på sætra.

– Det er fint at du har planer, nikket Rise. – Og det er alltid behov for hjelp på sætrene.

– Er Fredrik Trond på Nedre? Liv var rastløs og ville ha så mye ut av fridagen som mulig. Nå håpet hun på å få en prat med vennen før hun måtte reise tilbake til doktorgården.

– Det tror jeg. Han hjelper til med et nybygg. Rise syntes det var trivelig at Liv og Fredrik Trond holdt kontakt, men samtidig var hun glad for at Liv tenkte å reise fra bygda om et par år. Det var ikke greit hvis de to ble altfor sterkt knyttet til hverandre, for Liv trengte å lære seg å stå på egne bein. Dessuten …

– Da løper jeg ned og forstyrrer ham litt, lo Liv og avbrøt tankene til Rise. – Det er lenge siden vi har snakket sammen.

Liv forsvant som en virvelvind ut døra, men ikke før hun hadde gitt tante Anna en god klem.

– Snakker hun noen gang om foreldrene sine? Anna ventet med å spørre til Liv var utenfor hørevidde.

– Svært sjelden. Hun kjenner til far sin, og jeg tror at hun liker tanken på at han har vært prest. Jeg tror også at det er godt for henne å vite at han er død. Da er det ikke mer å gruble over. Men hun lurer nok iblant på hvem moren kan være, og om hun fortsatt er i live. Siden faren var fra traktene rundt Mjøsa, tror hun at moren også har tilhold der nede …

Rise lot ordene henge litt i lufta mens hun så grunnende på søsteren.

– Og det tror du også? Anna hadde en mistanke om at Rise visste mer enn hun sa, men det nyttet lite å presse søsteren til å fortelle.

– Det kan hende. Jeg synes uansett det må bli opp til moren om hun vil ta kontakt, men jeg håper i det minste at hun vil vente en stund til. Jenta er fortsatt ung.

– Men hun kjenner sin egen historie, og *det* gjør at hun ikke vil få et like stort sjokk som Jo fikk da Ragna fortalte at Torgil ikke var far hans.

I samme øyeblikk kom Viljar inn i stugu og ville ha med seg Anna til Gjel. De hadde lovet å se innom gården og ta en prat med driveren før de reiste. Men han overhørte det siste Anna sa, og lurte på om det var Jo de snakket om.

– Liv og Jo, forklarte Anna. – Liv er forberedt på at den biologiske moren hennes kan dukke opp en dag. Jo var helt uvitende, og da kom farskapssaken som kastet på ham. Hvis det var *jeg* som plutselig fikk vite at jeg hadde en annen far, hadde jeg blitt minst like opprørt og forvirret som Jo.

Viljar svelget og prøvde å holde seg rolig, men han måtte ha blunket litt ekstra, for Rise spurte om han hadde fått noe i øyet.

– Ja, jeg fikk nok et rusk i øyet da jeg hjalp til med å stable ved i vedskålen, løy Viljar. – Det kommer sikkert ut etter hvert. Ordene til Anna hadde skaket ham opp et øyeblikk, men han samlet seg fort. Dette var jo bare en bekreftelse på at han hadde tatt et riktig valg med hensyn til det Alfred Irgens hadde fortalt. Anna skulle *aldri* få vite hvem som var den ekte far hennes.

4

Sent i oktober kom det stor sending fra Skjolden. Den
første snøen hadde lagt seg i fjellet, men hestetråkket
var godt synlig, og det var fortsatt greit å følge varde-
rekka. Denne gangen var det fem hester i følget, og Rise
tok imot kilovis med epler og mange butter med fisk.
Kanskje var dette den siste sendingen før vinteren, og
det var nok derfor oppakningen var så stor.

Rise var svært glad for fisken og frukten, og hun
stelte godt med hestekarene som hadde strevd seg over
fjellet. Men denne gangen var det en stor og tykk kon-
volutt som gledet henne mest, og så snart hun fikk tid
for seg selv, satte hun seg i risestugu for å lese.

Her var ett brev fra Svein Ulrik og ett fra Lars
Ola. I tillegg hadde Dorthea skrevet en lang beretning
om hverdagen sammen med barnebarna, og hun skrøt
uhemmet av guttene.

Svein Ulrik hadde pen håndskrift, og teksten var lett

å lese. Rise smilte og gråt om hverandre da hun leste brevet, for eldstemann fortalte ivrig om båt og seil og fiske og kavelhuer og brottsjø og agn og flo og fjære, før han la til at han savnet Øvre. Men det var visst nødvendig at han var til stede i Skjolden så han kunne hjelpe lillebroren når de var i båten. Det lå mellom linjene at han på tretten år hadde et stort ansvar for broren på ti. For Lars var jo ikke så sterk, så han måtte ha hjelp til å heise seil og til å trekke garn.

Rise skjønte at gutten hadde det fint hos besteforeldrene, og det lange brevet tydet også på at barnepiken var myndig. Mens Svein Ulrik skrev mest om det som foregikk utenom skoletiden, skrev Lars om alle de nye vennene han hadde fått. Noen ganger ble han ertet fordi han snakket annerledes, men de fleste var greie. Gjennom kikkerten kunne han se båter og store skip langt ute på fjorden, og han meldte fra når det kom uvær. Under eplehøsten hadde han spist så mye epler at han hadde fått vondt i magen, men han hadde plukket epler likevel.

Brevet var springende, men gutten hadde skrevet det selv, og det varmet Rise om hjertet. Hun humret godt da han til slutt skrev at han savnet rumbrød, og at torskelever smakte vondt. Men da hun leste brevet fra Dorthea en gang til, kjente hun en krypende angst. Det stod nemlig at hun og Ulrik planla å ta med barna på båttur til Bergen like over nyttår. De skulle reise med en stor og stødig båt, og det var mange anløp underveis. Barnepiken skulle følge med og sørge for at guttene gjorde lekser underveis.

Rise sa til seg selv at dette ville være en stor opplevelse for sønnene, og at hun ikke kunne nekte dem reisen. Og det beroliget henne litt da hun leste at Sivert også skulle følge med for å besøke datteren Line og familien.

– Hvis de mener at det er forsvarlig å reise i januar, så må vi stole på det, sa Torodd da Rise fortalte om planene. – De bor ved fjorden og kjenner leia bedre enn oss. Det er jo ingen om bord i ei skute som *vil* forlise.

– Nei, men … vi var ikke langt fra land den gangen utenfor England heller.

– Jeg vet det, kjære Rise. Torodd slo armene om kona si. Hun hadde opplevd et forlis på kroppen, og det var ikke rart om hun engstet seg. – Men det går jo postbåt og annen båttrafikk mellom Sogn og Bergen hver eneste uke. Jeg er sikker på at ungene får en fin opplevelse. Torodd kysset Rise på nesa og smilte. – Om ikke annet så får de erfare hva det vil si å være sjøsjuk.

– Ja, det kommer de vel ikke utenom. Rise la hodet inntil Torodds bryst og lukket øynene. – Det er jo fint at de blir kjent i Bergen, da. Det er ikke mange unger her i dalen som har vært der.

– Ikke mange voksne heller. Torodd strøk Rise over ryggen og kjærtegnet nakken hennes. – Kanskje du skal prøve å tenke på noe annet.

– Mmmm, som for eksempel …

– Hvor fint det er å ta imot husbonden sin midt på lyse dagen. Hvem sier at det bare er natten …

– Det kan komme noen, lo Rise. – Du mener ikke …

– Klart jeg mener. Torodd slapp ikke taket om Rise da han gikk mot døra og vred om nøkkelen. – Sånn. Ingen overraskende kaffebesøk på en stund. Han trakk Rise med seg ned på sofaen og dekket halsen hennes med våte kyss.

– Skulle ikke du forberede ølbryggingen i dag? mumlet Rise mens hun hjalp Torodd med å kneppe opp blusen. – Det blir lite øl av dette.

– Vi kan drikke oss mette på andre ting enn brygg. Jeg vet om noe som smaker mye bedre. Torodd vrengte av seg jakka og løsnet beltereima. Det var kjølig i rommet, men hodet hans kokte, og pusten gikk fort.

– Du er full av overraskelser, hvisket Rise og trakk ektemannen til seg. – Og hjelma fyrig.

– Og du er den fineste fjellrosa jeg vet om. Torodd lot hånden gli opp under stakken til Rise og blottla lårene hennes. Der kjælte han med den tynne huden på innsiden, og fikk henne til å sukke tilfreds.

– Vet du om mange fjellroser?

– Du har selv fortalt meg at det ikke er noen blomst som heter fjellrose, men akkurat nå holder jeg om én, hvisket Torodd. – *Min* ... helt spesielle blomst ... som blomstrer hele året.

Rise rykket til da hun kjente hånden hans mot varmen, og lydene fra kjøkken og gard druknet i suset fra blodårene. Den sterkeste karen i bygda, tenkte hun. Han kunne være mjuk som skodde, og heftig som et fossefall på samme tid. Han kunne ...

Ølet ble brygget i god tid før jul dette året også, og godt ble det. Torodd og Sigbjørn var sjefbryggere, men de andre karene på gården fikk være med på å smake. Karene var alene om å passe bryggekjelen, og kvinnfolk slapp ikke til. Men det var nok annet å gjøre for Rise og pikene, og en forventningsfull travelhet lå over gården i ukene fram mot høytiden. De var heldige på Øvre, for alle gårdsfolkene hadde holdt jul på gården tidligere, og de kjente til skikkene og visste hva som skulle gjøres.

I år, som tidligere, var huslydene fra tre Torgilstad-gårder samlet på Øvre julekvelden, og stunden ble akkurat like høytidsstemt og munter som det passet seg. Doktorfrua hadde gitt Liv fri i to dager for å være sammen med familien, og Rise gledet seg over å ha jenta i huset. Det gjorde visst Fredrik Trond også, for så snart han hadde mulighet, kom han for å snakke med henne. Men Liv trivdes med arbeidet i doktorgården, og da hun vinket farvel den andre juledagen, var hun glad og fornøyd. Fredrik Trond, derimot, så ut til å henge med hodet, og Rise tenkte at han ville ha godt av å komme seg litt bort. Kanskje hun skulle foreslå for Torodd at gutten kunne følge med til Skjolden når de skulle hente Svein Ulrik og Lars Ola til sommeren. De fikk sikkert til en ordning med Jo om de forberedte turen tidlig.

De første månedene av 1881 kikket Rise ofte mot himmelen i vest. I Bøverdalen var de skånet for de verste vindkulene og snøbygene, men hun prøvde å lese himmelen for å finne ut hvordan været var på andre siden av fjellet. Tankene hennes var ofte hos sønnene, og hun lurte på om de hadde lagt ut på turen til Bergen. Hver dag bad hun en bønn for dem, og til slutt tok hun for seg en kaffekopp. Det var sjelden hun prøvde å tyde sitt eget eller familiens liv i gruten, for hun var redd for å styre bildene slik at de passet inn i det hun selv ønsket at de skulle vise. Men nå måtte hun gjøre noe for å falle til ro.

I risestugu tente hun et lys før hun satte seg ned med en rykende varm kaffekopp mellom hendene. Hun drakk langsomt, nesten litt motvillig, som om hun likevel ikke ville se. Men etter en stund hadde hun drukket ut og snurret koppen rundt i hånden slik at gruten lå spredt.

– La meg få gode tegn, hvisket hun. – Det er lenge siden det siste brevet kom over fjellet, og det tar enda en stund før det igjen blir farbart mellom øst og vest.

Rise bøyde hodet og lette etter bilder. Det tok ofte litt tid før hun så klare tegninger i gruten, men i kveld fikk hun et tydelig varsel med det samme; en stor sol stod alene i øverste del av koppen. Hjertet hoppet av glede, og hun slapp ut en pust som hun ikke var klar over at hun hadde holdt tilbake. Under sola, like over bunnen, lå to hestesko, og da hun dreide litt på koppen, så hun to sydvester. Rise smilte og lente seg tilbake i stolen. I et av brevene hadde guttene skrevet at de hadde fått hver sin sydvest, som de måtte bruke når de trakk fisk i regnvær. Det var verdens beste sydvester, hadde bestefaren sagt. Lagd i Stavanger.

En god varme fylte bringa, og uroen Rise hadde slitt med de siste dagene, slapp taket. Guttene var i god behold, hun var sikker. Nå våget hun å studere resten av gruten også, og straks fikk hun annet å tenke på. Det ville komme besøk til Øvre i løpet av sommeren. Et besøk som hun i lang tid hadde gruet for, men som hun ikke kunne unngå. Det var dumt av henne om hun reiste for tidlig til Skjolden, for det ville være å utsette noe som *måtte* komme. Tiden var antagelig inne.

Rise ble sittende med kaffekoppen i fanget en lang stund. Hun kjente på en god ro. Hvis bufardagen kom før gjesten dukket opp, besluttet hun å bli på gården og vente. Hun skulle ikke til sætra før besøket var over.

En forsiktig banking på døra rev Rise ut av tankene, og hun satte koppen fra seg før hun svarte. Det var Morten. Stallgutten hadde strøket lua av hodet, og hilste med et nikk.

– Kom inn, Morten. Vil du ha en kopp kaffe? Det var sjelden at stallgutten oppsøkte frua på denne måten, så Rise tenkte at det måtte være noe helt spesielt. Et ærend som kanskje krevde en kaffetår.

– Nei takk. Det jeg har å si, tar ikke lang tid. Morten smilte forsiktig, og han så ikke akkurat ut til å være tynget av sorger. – Jeg har snakket med Torodd, men han mente at det var deg jeg skulle ta en prat med.

– Sett deg, da. Rise slo hånden ut mot en stoppet lenestol. – Du gjør meg nyfiken.

– Å, det er ikke så hjelma spennende nyheter for andre enn meg sjøl. Morten satte seg godt til rette i stolen, og først nå merket Rise at han hadde skiftet til hverdagsbukse. – Det gjelder værelset mitt her på Øvre. Det blir snart ledig.

– Skal du flytte fra oss? Rise så overrasket på Morten. Han var jo nærmest for fast inventar å regne etter alle årene i tjeneste på Øvre.

– Ja. Jeg skal flytte. Morten blunket skøyeraktig og forstod hva frua tenkte. – Men jeg håper jo at jeg fortsatt får beholde arbeidet mitt her på gården.

– Puh. Det var enda godt. Nå trodde jeg at du kom for å si opp festeavtalen.

– Jeg kommer for å si at jeg ikke lenger trenger husvære, da måta. Ikke noe annet.

– Ja, det er fint å vite når et rom blir ledig, nikket Rise. – Men jeg lurer jo selvfølgelig på *hvor* du skal flytte? Siden du vil fortsette å arbeide på Øvre, kan det ikke være langt unna?

– Det er ei lita timberbu nederst i Visdalen, forklarte Morten. – Tømmer-Johan har fått kjøpt den billig, og han har brukt vinteren til å sette den i stand.

– Mener du Krokstugu? Rise kjente til den falleferdige bua ovenfor Kroken.

– Ja. Morten humret og nikket. – Det er blitt solide saker etter at Johan har drevet på der borte. Han er god til å timbre.

– Så du skal flytte inn sammen med Tømmer-Johan?

– Ja. Vi deler på utgiftene, så det skal gå fint. Morten lette etter tegn på overraskelse i ansiktet til frua, men hun satt like rolig.

– Johan er en trivelig kar, sa Rise. – Dere er jo alene begge to, så dette høres ut som en god løsning. Jeg er sikker på at dere kommer til å få det lugumt.

Morten pustet litt lettere da han skjønt at frua ikke ville stille nærgående spørsmål. Tvert imot. Hun ønsket ham lykke til og spurte bare om de hadde sørget for en god aurbu eller jordkjeller til maten.

– Vi får dyrke litt potet på baksiden av stugu, så vi må jo ha en plass å lagre avlingen. I løpet av sommeren skal vi grave ut en fin aurbu, men jeg er redd for at ingen av oss er gode kokker.

– Det kommer dere til å bli, lo Rise. – Og så må vi vel se litt på festeavtalen din. Siden du ikke lenger skal ha husvære som en del av lønna, må vi bli enige. Hva med måltidene?

– Morgonverd og kveldsverd spiser jeg hos meg selv. Men dugurd og non vil jeg gjerne ha på Øvre. Morten hadde tenkt gjennom disse punktene før samtalen.

– Det er notert. Da skal Torodd og jeg sette opp et forslag til ny avtale. Vi du ha skilling eller klær og varer som betaling?

– Hvis jeg fortsatt får klær og sko som i dag, kan det være fint med betaling i korn og litt penger. Jeg vet jo ikke noe om å bo i eget hus og stelle for seg sjøl, men jeg trenger neppe mere klær enn det jeg er vant med å ha.

– Si ikke det, ertet Rise. – Når du skal ta imot gjester i eget hus, kan du få bruk for litt annet enn arbeidstøy. Når flytter du?

– Om et par uker. Morten gned seg over skjeggstubbene så de raspet mot huden. – Det er nok mange som mener at det er på tide for en kar på over førti år å få sitt eget. Og nå har jeg altså råkå på dette.

– I denne saken skal du ikke bry deg om *mange*. Gjør det du selv føler er rett, og lukk ørene for tullprat.

– Jeg skal huske det. Morten reiste seg og smilte. Han var en kluvandes kjekk kar, og mange jenter hadde nok håpet på den karen. Men etter en brutt trolovelse i ungdommen hadde han bare nøyd seg med en svingom på dansefester, aldri noe mer.

– Trenger du å låne hest, så si ifra. Du kjenner jo stallen og hestene bedre enn oss. Rise ønsket å beholde den trofaste stallgutten, for Morten var dyktig og redelig. Var det noen av tjenestefolkene på Øvre som skulle få bruke gårdens utstyr privat, var det Morten.

– Takk, Rise. Du skal vite at jeg alltid har hatt det godt på Øvre, og jeg håper at det er arbeid til meg her i mange år framover. Selv under Torgil var det greit å ha ansvar for hestene, men det ble andre tider da du overtok. Morten lot hånden hvile på dørhåndtaket og så fast på frua. – Du skal lete lenge før du finner en gård der det er en så god tone blant gårdsarbeiderne og sjølfolket som på Øvre. Og det er *din* fortjeneste.

– Nåvel. Rise løftet hånden for å bremse rosen.

– Det kommer nok an på hvem du spør, men jeg trives best når folkene mine trives.

– Alle trives på Øvre. Morten bukket lett og slo muntert ut med armene da han forlot rommet. – Takk for praten.

– Takk for praten, ja, mumlet Rise og smilte. Hvis Morten og Tømmer-Johan kunne ha nytte og glede av hverandre, så var det fint …

Men det gikk ikke mer enn noen dager etter at Morten hadde flyttet fra Øvre, før Rise fikk det første spørsmålet. Da den litt løsmunnede Stina Uppigard kom for å få råd om et arveoppgjør, kunne hun nesten ikke vente med å nevne karene i Krokstugu.

– Jeg tror ikke at du skal blande deg i det arveoppgjøret, rådet Rise etter at hun hadde studert kaffegruten. – Din onkel har skrevet testamente, og du kommer ingen vei med å protestere. Jeg synes du skal være fornøyd med det som tilfaller deg.

– Når *du* sier det, skal jeg lytte til rådet. Men jeg hadde håpet på mer.

– Du og familien har vel så dere klarer dere? Stina og husbonden leide et lite bruk med god jord, og om de ikke akkurat levde i overflod, så led de ingen nød.

– Vi klager ikke. Ingen hos oss sulter. Stina smilte avvæpnende og skiftet tema. – Jeg hører at Morten har flyttet fra Øvre. Det var overraskende.

– Synes du? Han er jo godt voksen. Rise så at det glimtet nysgjerrig i øynene til den andre.

– Men at han ikke har funnet seg ei kjerring! Det er litt underlig at han vil bo sammen med en annen kar. Ja, ikke bare underlig, men beint fram ulugumt.

– For hvem da? Rise holdt fortsatt om kaffekoppen mens hun så utfordrende på Stina.

– Det er lett å spekulere … alle snakker om de to. Hadde de enda vært brødre …

– Hadde enda folk passet sine egne saker, sukket Rise og tok for seg gruten nok en gang. – Jeg kan forresten se noe mer her. Det kommer kanskje til å skje en ulykke … med dem som snakker stygt om de to i Krokstugu.

– Jeg snakker ikke stygt om noen, jeg, svarte Stina fort. – Men det er lov å undre seg.

– Hvis du undrer deg over ditt eget liv, kan det være fornuftig. Hvis du stadig vekk undrer deg over andres, er det bortkastet tid.

– Men …

– Synes du at du har fått svar på det du kom for å spørre om? Rise gjorde det klart at samtalen var over, ved å sette koppen fra seg.

– Ja takk. Jeg skal ikke forstyrre deg lenger. Stina spratt opp av stolen og satte en full trådsnelle på bordet.

– Jeg hadde ikke noe garn, men du syr vel litt også?

– Det gjør jeg, og tråd blir det alltid bruk for, tusen takk. Rise hadde lært seg at hun ikke skulle forsmå det folk satte igjen etter en slik samtale, for de fleste ønsket å gi noe tilbake. – Men jeg tar ikke betaling for en kaffeprat.

Stina mumlet noe til svar som Rise ikke oppfattet, og så skyndte hun seg av sted …

Tre dager sener dukket Johanne fra Midtre opp, og hun lo da hun hørte om alle kaffebesøkene. Overfor Rise var hun åpen og avslappet, og hun følte at hun kunne snakke fritt.

– Alle er nysgjerrige på Morten og Tømmer-Johan, ikke sant?

– Det er i hvert fall *det* alle ender opp med å spørre om. Lurer du også? Rise skjenket selv i kaffekoppene og satte på litt biteti.

– Er det noe å lure på, da? Karene har funnet en grei ordning med å dele husvære, og det er det. Johanne forsynte seg med rømmebrød og blunket muntert. – Jeg er mer interessert i å snakke om Olemann. Han får prestehanda på seg til høsten, og jeg lurer veldig på om han er skikket til å overta gården.

– Har han ikke lyst?

– Det tror jeg, men han har ikke vist så stor interesse for å hjelpe til. Jeg må alltid mase og be ham om å hjelpe gårdsgutten.

– Olemann er fortsatt ung, og han er kanskje litt usikker. Det er jo ikke så mange karfolk på Midtre som kan ta ham med i arbeidet og gi ham råd. Hva sier han selv?

– At han vil arbeide på gården når han er konfirmert. Men han vil at vi skal skaffe mer hjelp. Og da lurer jeg på om han vil ansette flere gårdsgutter fordi han selv er lat, eller fordi han ikke føler at han duger.

– La ham få litt tid på seg, sa Rise og nødet venninnen til å forsyne seg. – Når han ser at han mestrer hest og plog, og at han klarer med vanningsveiene, kommer nok arbeidslysten også. Gutter i den alderen vil lykkes.

– Det tenker jeg også, men så lurer jeg på om det er noe jeg kan gjøre for å hjelpe ham. Kanskje han har godt av å arbeide en stund på en større gård?

– Han kan gjerne få komme hit til Øvre og gå sammen med gårdskarene våre, men jeg er ikke så sikker på om det er en god løsning. Rise drakk ut av kaffekoppen og dreide den i hånden. De siste dagene hadde hun gjort denne øvelsen oftere enn hun kunne huske, og nå gjorde hun det uten å tenke seg om. Men Johanne hadde ikke kommet for å få den slags råd, hun ville bare snakke med en venninne om framtida til sønnen sin. Det var jo ikke så rart.

– Nei. Hvis han skal arbeide på en annen gård, må

det være en storgård som ligger et stykke herfra. Først da blir han tvunget til å stole på seg selv.

– Det kan du ha rett i. Rise kikket i gruten og lurte på om Johanne hadde tenkt på et bestemt sted.

– Kanskje en av gårdene i Heidal, eller Øygarden i Sel. Den siste har jeg hørt skal ha stor stall med mange hester, og det er sikkert stas for en ungdom.

– Du har gjort undersøkelser allerede? Rise løftet ikke blikket fra koppen. Plutselig var hun blitt ivrig opptatt av gruten, og øyenbrynene hevet seg.

– Ja, jeg har spurt meg for, svarte Johanne og så nysgjerrig på Rise. Venninnen pleide aldri å lese i gruten når de pludret over en kopp kaffe. – Men *du* ser ut som om du akkurat har oppdaget noe spennende.

– Hva med å sende Olemann på landbruksskole? Omsider løftet Rise blikket. – Nå er det slike skoler mange steder, og der vil han få grundig opplæring i gårdsstell.

– Landbruksskole? Johanne så spørrende på kaffekoppen. – Står det noe om det der?

– Jeg tror gutten vil like seg på en slik skole. Dessuten kommer han til å få mange, nyttige råd og god kjennskap til nye redskaper og hjelpemidler. Jeg lurer sannelig på om det ikke kan være noe for min Svein Ulrik også.

– Men landbruksskole, gjentok Johanne. – Det høres

litt fremmed ut for én som har vokst opp på gård. Kan det være nødvendig?

– Hvorfor ikke? Det er sikkert mange måter å drive en gård på.

– Hvor er den nærmeste landbruksgården, da?

– Det vet jeg ikke, men jeg vet at det er en som heter Jønsberg i Hedemarkens amt. Den har jeg hørt mye godt om. Rise smilte tilfreds, for denne tanken kom ene og alene fra kaffekoppen. – Han kommer selvfølgelig ikke til å få lønn den tiden han går på en slik skole, så hvis han har gledet seg til å tjene egne penger, blir han skuffet.

– Nei, jeg må vel heller betale skolepenger i dyre dommer, men det bryr jeg meg ikke om. Hvis en slik ordning kan være til hjelp for Olemann, er det verdt skillingen.

– Nedre er ingen liten gård, Johanne. Du har vel råd til å betale?

– Ja, det har jeg. Og du har rett i at gården gir meg solid utbytte. Dette handler ikke om penger.

– Tenk over forslaget, og snakk med gutten. Han kan trenge litt tid på å venne seg til tanken.

– Det skal jeg sannelig gjøre. Og så håper jeg at dere vil komme og spise sammen med oss på konfirmasjonsdagen.

– Tusen takk, det vil vi gjerne. Rise tenkte at det passet fint, for på Øvre var det ingen konfirmanter dette året. På Lillehammer skulle Torolf stå for presten, men det var ikke slik at slektninger reiste langt for å være med på en slik dag. – Inviterer du Åse og Jo også?

– De har allerede takket ja. Jo ville vente med å dra på reinjakt til etter konfirmasjonssøndagen.

– Da gleder vi oss til å være med på dagen til Olemann.

– Når reiser du og Torodd til Skjolden for å hente guttene? Johanne visste at venninnen lengtet etter å få sønnene hjem igjen. – Det blir kanskje ikke noe sætring på deg i år?

– Jeg hadde håpet på å få noen uker ved Gjende, men det er tvilsomt om jeg rekker det. Vi har lovet Ulrik og Dorthea at vi skal bli noen dager i Skjolden.

– Etter at Olemann har gjort unna konfirmasjonen, vil jeg også sitte på sætra om somrene, sa Johanne bestemt. – Det er en trivelig forandring fra livet på gården. Hun reiste seg og roste de nye gardinene i risestugu. – Jeg syr også nye gardiner som skal være ferdig til konfirmasjonen. Men min symaskin kan ikke måle seg med Åses.

– Ikke *min* heller, svarte Rise blidt. – Hennes er nyere og syr penere. Men jeg klarer meg fortsatt godt med den gamle sveivemaskinen.

– Jeg også. Takk for kaffen. Den var hjelma god i

dag. Johanne slo sjalet om skuldrene og så tenksomt på kaffekoppen til Rise. – Hvis den der kommer med flere snedige råd, så håper jeg at du sier ifra. Nå skal jeg ta en prat med Olemann om dette med landbruksskole. Farvel ...

Samme kveld spurte Rise Torodd om han trodde at det kunne være en tanke å sende Svein Ulrik på landbruksskole. Odelsgutten kunne ha godt av å lære seg gårdsdrift på et annet sted enn heimgården, mente hun.

– Hvis han ikke har fått smaken på en fruktgård ved fjorden, ertet Torodd. – Et år er lang tid.

– Det står ingen gård og venter på ham i Skjolden, svarte Rise. – Arven etter Edvin, bestemorhuset bak frukthagen, har bare en liten åkerlapp. Vil gutten slå seg til ved fjorden, må han kjøpe gård og grunn.

– Han gleder seg sikkert til å komme hjem igjen, og de neste årene kan han sammenligne gårdsdrift ved fjorden med gårdsdrift på Øvre. Jeg tror det er en god tanke å sende ham på landbruksskole. Det hadde vært artig om han og Olemann fra Midtre gikk sammen.

– Hva med Isselskapet? Guttene har sikkert vært med på isskjæring i vinter, og kanskje *det* har gitt mersmak.

– Jeg tror vi skal vente og høre hva de selv forteller, lo Rise. – Det er nesten litt trist å snakke som om de allerede har flyttet hjemmefra.

– Svein Ulrik skal konfirmeres neste år, minnet Torodd om. – Og de andre følger etter. En vakker dag sitter vi der alene og lurer på hvor tida er blitt av.

– Gi deg, da. Du får det til å høres ut som dommedag. Det er jo godt hvis alle ungene kommer seg videre. Skal vi ikke heller planlegge en frisk bukkehornkonsert den dagen sistemann får prestehanda på seg?

– Jepp. Det vil være en gledens dag, for det betyr at alle barna våre har vokst opp. Og så kan de gamle slå ut håret og gjøre som de vil. Torodd trakk Rise opp av stolen og svingte henne rundt i rommet. – Men jeg tar gjerne en dans med kona mi før den tid. Og så sender vi Svein Ulrik på landbruksskole. Fornøyd?

Rise lo og svingte seg med. Da vesle Øyvor kom inn i rommet, tok Torodd henne på armen, og så danset de videre mens femåringen hikstet av latter. Familien på Øvre hadde det godt med hverandre, og det hørtes lang vei …

5

Denne våren og forsommeren kom det mange frem-
mede til Øvre. Fjellvandrere og andre turister ville
gjerne overnatte på gården, og Rise syntes det var tri-
velig med alt fremmedfolket. Noen ganger var det fullt
på skysstasjonen, og da var folk lettet over å få en seng
i nærheten. Men ofte kom det veifarende som likte seg
bedre på private gårder framfor på de etablerte skyss-
stasjonene. Noen hadde hørt om Øvre og Rise-vev,
enkelte hadde fått anbefalt gården av venner i Kristia-
nia, og andre lette bevisst etter storgårder langs veien.
De som kom fra Kristiania, kjente som regel Hallvard
eller Selma eller noen som arbeidet i et apotek, og Rise
ble overrasket over hvor mange som hilste fra de to.

– Vi har kjøpt krøllhårsmadrasser som skal være
laget her, fortalte en herre fra byen. Han var på vei til
Vestlandet sammen med kona si for å delta i et bryllup.
– Det hadde vært artig å få sett verkstedet?

Rise sendte straks paret til Nedre, og håpet at Åse og Jo hadde tid til å ta seg av dem. Det kunne vel også være lugumt for ungfolket å se noen nye ansikter. Men etter som det nærmet seg bufar til heimesætrene, økte antall veifarende, og det ble nok av fremmede å snakke med. Det var som om ferdselen over og i fjellet eksploderte dette året, og gjestene strømmet på. Da Johanne og Åse reiste til fjells med buskapen, ble det enda travlere på Øvre, og Rise festet ei ungjente til å ta seg av klesvasken. Hun lurte på om gården skulle fortsette å ta imot losjerende når hun og Torodd reiste til Skjolden, for hun var usikker på om pikene ville greie med alt. Men en dag kom en kone hastende oppover gårdsveien og ville snakke med Rise, og i løpet av den samtalen ble det bestemt at reisende skulle få losjere på Øvre hvis de ønsket det.

– Jeg har da aldri sett på maken til farting, sukket frua på skysstasjonen da hun lot seg nøde til en kopp kaffe. – Det er så vidt vi klarer å skaffe hester til alle reisende, og det strømmer på med folk som vil ha noen til å føre dem over breene og opp på toppene.

– Ja, det er nok travle tider for dere. Rise lurte på om den andre mente at Øvre tok levebrødet fra skysstasjonen, men hun trengte ikke å engste seg.

– Det er visst. Men jeg hører at du har hatt mange gjester, du også?

– Ja. Når folk kommer og spør om en seng, henviser jeg først til dere på Røisheim. Men mange *vil* gjerne sove her, og da er det vanskelig å si nei.

– Ta bare imot alle som kommer, pustet skyssfrua.

– Vi har hendene fulle hos oss. Men det er én ting vi kanskje kan enes om. Hun så på Rise mens hun dyttet en hårlokk innunder et blomstrete hodetørkle.

– Prisen de losjerende skal betale. For du tar betalt, vel?

– Ja, men jeg synes ikke at jeg kan ta like mye betalt som dere. Øvre driver ikke serveringssted eller ordnet losjivirksomhet.

– Men forskjellen må ikke være for stor. Frua smilte avvæpnende. – Vi vil jo ikke at *alle* gjestene ender opp på Øvre.

– Du har ikke stort å frykte, for snart reiser Torodd og jeg til Skjolden for å hente guttene, og da blir det nok slutt på ...

– Å nei. Frua ristet energisk på hodet og så nesten fortvilt ut. – Jeg håper virkelig at dere vil ta imot losjerende, for det er til tider veldig trangt om plassen på Røisheim. Folk er ikke lenger så lystne på å dele sengekammer med mange andre, og jeg er glad for å kunne anbefale Øvre.

– Tja, det kan vel hende at pikene klarer med stellet, svarte Rise tenksomt. Agnes var på gården og styrte kjøkkenet, og sammen med Ingerid og den nye jenta burde det gå greit å ta imot en og annen gjest. – Og det er ikke sikkert at den store strømmen av turister fortsetter.

– Fint. Jeg har tatt med en oversikt over skysstakster og losji som jeg bruker. Kikk på denne, og legg deg *litt* under i pris. Frua la fra seg et ark på bordet og reiste seg. – Jeg kan ikke være lenge borte nå, men til høsten må vi komme sammen til en lang prat.

Rise fulgte frua ut og så etter henne da hun svinset hastig nedover veien. Skjørtene danset rundt leggene, og det var futt og virkelyst i kroppen. Ingen tvil om at hun hadde nok å bestille, og så fikk det bli slik at Øvre tjente som losji og overnattingssted for reisende denne sommeren.

Bufardagen kom med ståk og travelhet og forventninger, som vanlig. I år beholdt de tre kyr på gården mens resten av bølingen dro til fjells. Grisene og hønene var også tilbake på Øvre, og det passet fint med ferske egg nå som de skulle tilby overnatting. Det var med blandede følelser at Rise så følget av sted, for hun ville gjerne ha fulgt med selv. Men tanken på at hun snart skulle få se igjen sønnene i Skjolden, gjorde avskjeden lettere. Dessuten varte det ikke lenge før de neste turistene banket på.

Torodd og karene hadde hendene fulle med å vanne

jordene, vøle gjerder, flytte bikuber, truske det aller siste kornet, rydde på låven og gjøre klar til tidligslått. Bare Torodd prøvde å få tid til å slå av en prat med gjestene om kvelden, for han likte å høre nytt fra andre steder av landet. Det gjorde Rise også, men hun var travelt opptatt med å se til veverskene, samtidig som hun instruerte jentene i å ta imot losjerende, så det ble korte samtaler.

Agnes fikk oppgaven med å skrive kvitteringer og ta imot penger, og Ingerid var den som skulle ta imot nye gjester og vise dem værelset. Ester og Grete kunne veve enkle partier mens sjølfolket var i Skjolden, og de skulle ta imot alle som ønsket å se hvordan bildevevene ble til. Mønsterkartongene var låst inn i skap, så det eneste de måtte holde et øye med, var garnet og de halvferdige arbeidene.

To uker før Torodd og Rise skulle reise over fjellet, var det fullt i alle gjesterom og bur på Øvre. Agnes hadde det varmt og travelt på kjøkkenet, og i eldhuset dampet det av vaskevann hver dag. Nyjenta var dyktig og klarte å håndtere den store klesrulla alene, men hun var glad hver gang Ingerid hadde tid til å hjelpe. Frua forlangte glattet sengetøy, orden i garden og rene gulv, så dagene strakk mest ikke til. Rise var streng, men hun lå ikke på latsiden selv heller, og hun tok gjerne en runde med vaskebøtta eller rørte i kokevasken. Men den dagen Liv kom på overraskende visitt, ble hun glad for å få hjelp.

– Jeg har fått fri fra doktorgården i tre uker, sa Liv. – Doktoren og frua skal på reise, og da er det ikke bruk for meg. Hun så ut som sola sjøl, der hun stod foran Rise i lett sommerkjole og med lange, lyse fletter. – Jeg kan hjelpe til her.

– Du hadde vel helst ønsket deg til sætra, svarte Rise og tørket hendene på stakken. – Men hvis du kan ta i et tak her først, blir det likevel tid til å være ved Gjende. Tre uker er lang tid.

– Det er hjelma artig å møte fremmedfolk, mamma. Jeg kan servere, og jeg kan hjelpe Agnes på kjøkkenet. Så kan jeg hjelpe til der det trengs.

– Sendt fra himmelen, mumlet Rise. – Du er en engel.

– Nei, jeg er jo gullprinsesse, lo Liv og tok ansiktet til Rise varsomt mellom hendene. – Husker du ikke at du kalte meg det da vi så på solnedgangen ved Gjende? Det er et vakkert ord. Og gullprinsessen vil gjerne hjelpe gullmammaen sin.

– Du er alltid gullprinsessen. Rise smilte varmt og fikk tårer i øyene. Liv var en frisk og søt jente, og smilet var aldri langt unna. For henne var det en selvfølge at hun skulle hjelpe til på gården når det var så travelt, og det var nesten som hun gledet seg til å ta fatt.

– Da foreslår jeg at du går inn til Agnes og hører hva du kan hjelpe til med på kjøkkenet. Og det er fint om du tar deg av serveringen. Rise tenkte at Liv kom til å gjøre et godt inntrykk på de losjerende, og i doktorgården hadde hun jo nettopp fått opplæring i å holde selskap, servere store måltider og å ta seg av gjester.

– Er Fredrik Trond på Nedre, eller er han med på sætra? Liv var snar til å spørre før hun løp inn i huset.

– Han vet ikke at jeg har fri.

– Jeg tror at han er med på sætra noen dager, men du får høre på Nedre når du har en ledig stund. Du møter ham sikkert snart.

Rise gikk langsomt mot hønsehuset mens hun regnet ut at Liv kunne flytte til Trondheim allerede neste år. Da ville hun være 17 år, og om hun ikke kom inn på lærerinnekurset med det samme, kunne hun sikkert få annen undervisning. Jenta trengte å møte nye venner og få nye opplevelser. Men det skadet kanskje ikke om hun tok en prat med henne når det gjaldt en framtidig ektemann. Sivert Nordistugu var en kjekk kar som kom fra gode kår …

Rise likte ikke sine egne tanker, og da hun kom inn i hønsehuset, ble hun stående og gruble med et varmt egg i hånden. Hun ønsket at alle barna selv skulle finne seg en kjæreste. En som de var glad i, og som de *ville* gifte seg med. Men når det gjaldt Liv, trengte hun kanskje å få øynene opp for at det fantes flere trivelige gutter i verden.

Egget gav en behagelig lunk i hånden, og Rise lukket øynene. Selverkjennelse var en vanskelig øvelse, men skulle hun være helt ærlig, likte hun ikke at Liv og Fredrik Trond var så mye sammen. Eller, de var jo egentlig ikke sammen så ofte, men så snart de var i nærheten av hverandre, søkte de til hverandre. Men hvorfor så hun skjevt på det vennskapet?

Rise la egget i kurven og fant et nytt. Hønene på Øvre var gode verpehøns, og Agnes var flink til å lage eggemat. Nå ble det sikkert noe ekstra godt siden Liv var hjemme.

Fredrik Trond og Liv er jo ikke i familie med hverandre, grublet Rise videre. Hadde ikke gutten vært sønn til husbonden og bodd på Øvre de siste årene, ville alt vært annerledes. Men *hvorfor*? De har for tette bånd til meg og Torodd, argumenterte Rise med seg selv. Liv trenger å utvide familien, *det* er en viktig grunn til at hun bør få seg annen kjæreste.

Rise gjorde seg ferdig med å samle egg og småpratet litt med hønene før hun lukket seg ut. Det var jo slett ikke sikkert at Liv og Fredrik Trond så på hverandre som annet enn gode venner, og da var det jo greit om Liv flyttet fra bygda *før* vennskapet ble til noe mer. Men det var fånyttes å hindre dem i å møte hverandre når Liv var på Øvre, så det var bare å håpe at de fortsatt var *venner*.

Men Fredrik Trond ble værende på sætra for å hjelpe Jo med litt snekring, og i mellomtiden hadde Liv det veldig travelt med å stelle for losjerende. Hun ble straks en yndet serveringsdame, og når Ingerid iblant serverte kaffe eller mat, spurte gjestene etter den lyse jenta. Rise så selv hvilken behagelig framferd Liv hadde når hun serverte og slo av en prat med folk. Hun var blid og vennlig, serverte rolig og sikkert, og hun var og akkurat passe pratsom.

– Jeg liker arbeidet, forsikret hun da Rise spurte om hun ble lei. – De fleste er vennlige, og det er spennende å høre hvor de kommer fra. Dessuten liker jeg å stelle for gjestene og se at de har det bra.

– Du kommer til å bli en perfekt husfrue, mente Rise. – Et stort hus der du kan ta imot gjester og holde selskaper, *det* er noe for deg. Hun løftet fingeren advarende og smilte. – Men ikke så stort som Ley.

– Å, du tøyser, fnyste Liv. – Jeg skal bli lærerinne.

– Ja. Men det hindrer deg ikke i å styre et stort hus.

– Lærerinner har ikke store hus, protesterte Liv fornuftig. – Hvis de gifter seg og får et stort hus å stelle, slutter de å arbeide, og så er de ikke lærerinner mer.

– Tja, det er kanskje noe i *det*. Så da blir du lærerinne først?

– Før hva? Det blinket muntert i øynene til Liv, og hun så ertende på Rise.

– Før du gifter deg, svarte Rise kjapt og smilte. – Jeg har alltid ment at jenter også trenger en utdannelse.

– Klart. Jeg skal jo til Trondhjem når jeg blir atten år.

– Hvis du ikke flytter før den tid? Kanskje det er lurt om du tar et års undervisning i språk, for eksempel engelsk. Du kan jo litt allerede.

– Mener du det? Kan jeg reise i år? Liv så ikke ut til å tenke på kjærester og giftermål, og det beroliget Rise.

– Neste år, kanskje. Vi får snakke mer om det til høsten.

– Å, da begynner jeg å glede meg. Liv gav Rise et smellkyss på kinnet og føk av sted for å skrelle poteter. – Agnes klager over at gjestene spiser opp alle kantoflene, selv om det er mye igjen i bingen. Jeg tror det holder. Men skal du fortsette å ta imot losjerende til neste år, må dere utvide kantofelåkeren …

En uke før avreise til Skjolden ble det noen rolige dager. Det kom fortsatt en og annen turist innom, men ikke store følger og mange samtidig. Fredrik Trond var tilbake på Nedre, og Liv gledet seg til å møte ham samme kveld. Men hun forsømte ikke arbeidet sitt, og da det trillet inn en hestevogn med ett menneske i, var det Liv som tok imot.

– Velkommen til Øvre. Er De ute etter losji? Hun så nysgjerrig på kvinnen i rustrød reisedrakt. Den eneste bagasjen i vogna var en reiseveske i blått brokadestoff, ikke noe mer.

– Det kommer an på. Kvinnen rettet på hatten og gikk ut av vogna. – Er frua hjemme? Det var nå helst henne jeg ville hilse på.

– Ja da, mamma er her. De vil kanskje bestille en vevnad? Liv ventet ikke på svar før hun pekte på en sittegruppe inntil husveggen. – Sett Dem bare ved bordet, så skal jeg komme med litt limonade før jeg henter mamma.

– Takk. Så Rise er mor di?

– Ja. Jeg hjelper til her hjemme i sommer, men egentlig tjener jeg på doktorgården. Liv tenkte at hun kunne si såpass siden frua visstnok kjente moren. – Jeg er straks tilbake.

Den fremmede børstet støv av skjørtet og bad kusken om å kjøre til skysstasjonen og vente på henne der dagen etter. Hun skulle videre over fjellet, men i natt håpet hun på en seng på Øvre.

– Hva heter du? spurte kvinnen da Liv kom med drikke. – Jeg har møtt mor di tidligere, og hun har sikkert fortalt om deg.

– Liv.

– Liv, ja. Det er et fint navn.

– Liv Livsdatter. Det er enda finere, lo Liv. – Livsdatter Torgilstad. Det er meg.

Liv neide og unnskyldte seg før hun gikk mot eldhuset for å hjelpe til med vasken, men ved storstabburet ble hun stående og betrakte kvinnen. Hun hadde lagt merke til de små rykningene rundt øynene på den fremmede da hun sa navnet sitt, og kvinnen hadde anstrengt seg for å smile. Men hun var vennlig og velkledd, og det var ikke noe mystisk ved henne. Da Rise kom over garden, hilste hun på kvinnen med et fast håndtrykk, og det virket absolutt som om de kjente hverandre fra tidligere. Liv trakk på skulderen og skyndte seg videre. Men nå hadde hun en tenksom nyve mellom brynene.

– Hei, Rise, husker du meg? Kvinnen smilte usikkert, men åpent da hun trykket hånden til Rise. – Jeg er på vei til Sogndal, og tenkte at jeg ville se innom.

– Karoline fra Lillehammer, visst husker jeg deg. Søster til Reier Dahl, som har malt det flotte bildet fra Knatten. Velkommen.

– Takk. Jeg trodde egentlig at du var på sætra. Anna

forberedte meg på det. Karoline pustet lettet ut etter at hun ble ønsket velkommen.

– En vanlig sommer ville jeg ha vært av sted. Men i år har jeg andre planer.

– Har du begynt å ta inn losjerende? Jeg hørte noen nevne at det var ledige rom på Øvre.

– Bare i sommer. Det er uvanlig mange turister i år, og skysstasjonen har ikke plasser nok. Vil du overnatte på Øvre?

– Kanskje. Jeg har med kusk og hestekar og er på vei til slektningene mine i Sogndal. Det passer fint met et stopp her, men jeg kan gjerne ta inn på Røisheim.

– Det er hyggelig om du vil ta til takke med et rom her på gården. Og jeg vil gjerne høre nytt fra Lillehammer. Men først skal du få vaske av deg reisestøvet og hvile litt. Etterpå skal jeg vise deg rundt på gården. Rise ropte på Ingerid og bad jenta vise gjesten opp på gjesteværelset og sørge for varmt vann.

– Du finner meg nok i vevstugu etterpå, avsluttet Rise og pekte på Vinterstugu.

– Tusen takk. Det skal bli godt å få av seg reiseklærne.

Rise sørget for at Ingerid bar reiseveska til Karoline, før hun selv gikk til vevstugu med raske skritt. Det passet fint at det ikke var så mange losjerende denne kvelden, så kunne hun ta seg litt ekstra av Annas venninne.

Hun visste at Karoline hadde vært gjennom vanskelige tider med skilsmisse og tap av hus og eiendom, men nå så kvinnen godt ut. Anna mente at venninnen blomstret opp etter at den fraskilte mannen kom på straff, og hun selv begynte et nytt liv som ekpeditrise i en gullsmedforretning. Og det kunne se ut til at søsteren hadde rett.

Karoline skulle i hvert fall føle seg velkommen på Øvre, og Rise gledet seg til å høre hvordan det gikk med Reier Dahl etter at han hadde stilt ut på verdensutstillingen. Så langt hun kjente til, var han en ettertraktet kunstmaler.

Etter at Rise hadde brukt lang tid sammen med Ester og Grete i vevstugu, dukket Karoline opp. Hun hadde vasket ansiktet og skiftet til en enkel sommerkjole med kapper på skjørtet, og hun virket avslappet. Rise forklarte henne litt om vevnadene og om garnet hun brukte. Gjesten var særlig ivrig etter å få vite mer om garnet som kom fra Skottland, og hun ville gjerne ha adressen til spinneriet.

– Det forstår jeg godt, lo Rise. – Dette er det aller beste garnet jeg kan tilby i vevnadene mine. Men det egner seg ikke like godt i bundingen.

– Du vil ikke anbefale å strikke kofter av det?

– Nei. Da ville jeg kjøpt et annet garn.

Rise og Karoline ruslet rundt på gården, og de hadde

mye å snakke om. Karoline lyttet og stilte mange spørsmål underveis, særlig om bikubene og slynging av honning. Da de til slutt kom inn i godstugu, slo hun hendene sammen og stirret på maleriene som Reier hadde malt.

– Det er Liv som liten pike, utbrøt Karoline. – Han *kan* virkelig male, den gutten. Det er jo nydelig.

– Ja, det er Liv og Svein Ulrik ved bekken. Liv var rundt fem år på den tiden, og det hendte nok at de lekte med melkespannene og spilte melka. Rise så med kjærlighet på maleriet. Ungene lo godt da de løftet melkespannet mellom seg, og det skvatt melk ut under lokket. Katta var straks på plass for å smake. – Jeg blir aldri lei av det maleriet. Det er så virkelig.

– Det forstår jeg. Liv har vokste seg vakker. Karoline flyttet ikke blikket fra maleriet mens hun snakket.

– Ja. Og hun er like blid som hun er vakker. Rise sa ikke mer, men ventet til Karoline snudde seg og fikk øye på det andre maleriet som Reier hadde malt.

– Nei. Karoline gispet og slo hånden for munnen. – Har han malt det også?

– Ja. Har du noensinne sett en så vakker grotte? Jeg forstår ikke hvordan han klarer å skape noe så vidunderlig på et flatt lerret. Rise studerte den andre mens hun snakket, og hun merket seg at Karoline sank litt sammen i skuldrene. Men blikket var fast og ansiktsfargen frisk. – På et gitt tidspunkt skinner sola ned i den grotten og forvandler den til en gullsal. Det er *det* øyeblikket han har fanget.

– Det må være Gud som har holdt hånden sin over det stedet, hvisket Karoline. – Den grotten er som en katedral. En helligdom.

– Det samme sa jeg den gangen Reier malte det. Jeg er veldig glad i det bildet ... av flere grunner.

Karoline snudde seg og møtte blikket til Rise. En lang stund stod de uten å si noe, men stillheten var ikke spent. Maleriene til Reier kastet et blankt dryss av ømhet over rommet og fylte lufta med linn hjertevarme. Denne stunden gjorde både Rise og Karoline godt.

– Sett deg ned og nyt maleriene til bror din. Det var Rise som brøt stillheten først. – Det er fortsatt en stund til nonsmat, så jeg henter en kopp kaffe til oss. Hun gikk uten å vente på svar, for Karoline kunne sikkert trenge litt tid for seg selv.

Etter at kaffen var skjenket og Karoline hadde forsynt seg med lefse og rømmebrød, kom praten i gang igjen. Karoline fortalte litt om Reier og sa at han nå tjente store penger på maleriene sine. Han var etterspurt, og for første gang i sitt liv kunne han betale for tjenester med penger, ikke med malerier.

– Men noen ganger tror jeg at han lengter tilbake til

tiden da han var fattig, for han spør fortsatt etter de billigste losjiene og spiser mat rett fra hermetikkboksen. Og så blomstrer han når han bli påspandert og invitert i fine lag. Karoline ristet smilende på hodet. – Han har alltid gått sine egne veier, den gutten, men jeg liker ikke at han er så selvisk.

– Mer enn andre? Rise husket det Reier hadde fortalt om at han hadde barn med flere kvinner, men at han overlot til mødrene å ta seg av dem.

– Ja, mer enn de fleste andre. Karoline tørket seg om munnen og la hendene over en liten selskapsveske hun hadde i fanget. – Du synes sikkert at *jeg* også har vært selvisk, og det kan jeg ikke si imot. Karoline åpnet veska og trakk opp en konvolutt. – Jeg har noe jeg vil vise deg.

Rise skjønte at tiden var inne, og hun satt rolig og fulgte med på det kvinnen sa og gjorde. Stunden føltes ikke truende, for dette var et passende tidspunkt på alle måter.

– Jeg ser hva Reier har malt i nederste kant av grottemaleriet, fortsatte Karoline. – Det er en halv blomsterkrans flettet av markblomster. Du har nok for lengst gjettet deg til at han visste noe.

– Det kan hende. Rise ville ikke legge ord i munnen på den andre, derfor svarte hun som hun gjorde.

– Kjenner du igjen denne tråden? Ut av konvolutten fisket hun en bit av en tynn, rød tråd som var flettet sammen med en like tynn sølvtråd. – Det er det eneste beviset jeg har. Hun gav tråden til Rise og så rolig på at frua til Øvre studerte den.

– Ja. Den kjenner jeg igjen. Jeg har selv gjemt på en lignende tråd, og den er fortsatt festet til et halvt smykke. Men jeg trenger ikke noe bevis.

– Du har visst det lenge?

– Jeg har hatt mistanke.

– Du har rett, Rise. Det er jeg som er mor til Liv …

6

Da ordene endelig ble uttalt, sank Karoline sammen i stolen og så fortapt på Rise. Det var ikke antydning til tårer, men øynene speilet dyp fortvilelse blandet med lettelse. Hun hadde nettopp lagt av seg en tung bør, en umenneskelig knute av savn, lengsel, frykt og selvforakt. Nå hadde hun ingenting å skjule. Hemmeligheten var avslørt.

– Da har du i det minste visst at datteren din har fått en god oppvekst, sa Rise rolig. – Gjennom Anna har du sikkert hørt nytt fra Øvre, og du har til og med hilst på Liv noen ganger da hun var liten.

– Ja. Den eneste trøsten jeg har hatt, var at barnet mitt fikk et godt hjem. Men jeg skammer meg fortsatt over det jeg gjorde. Den gangen visste jeg ikke om andre utveier.

– Jeg husker at Anna fortalte at hun møtte deg og Reier da hun reiste til Lillehammer på samme tid som jeg fant Liv. Hun nevnte at du virket sliten og blek, og allerede den gangen tenkte jeg mitt.

– Det var en forferdelig tid, sa Karoline stille. – Min ektemann, Finn, har alltid vært brå og egenrådig. Han gikk ikke av veien for å slå meg hvis han ikke fikk det som han ville. Min oppgave ble å skjerme barna mot farens raseriutbrudd, og glatte over når han gjorde seg til uvenn med folk.

Rise hadde ingen vanskeligheter med å forstå at ekteskapet mellom Karoline og Finn Enger hadde vært en prøvelse. Etter det Anna hadde fortalt om Finn og fallitten og hevntankene, var det opplagt at Karoline hadde levd i frykt for mannen.

– De andre barna dine har greid seg godt, skjønner jeg?

– Ja. Begge guttene har fått gode utdannelser og bor i Kristiania. Jeg priser meg lykkelig for at det går dem vel.

– Og nå ser det ut til at datteren din også får seg en utdannelse så hun kan stå på egne bein. Liv vil gå på lærerinnekurs i Trondhjem.

– Jeg kan ikke få takket deg nok for alt du har gjort for henne. Karoline trakk pusten dypt før hun fortsatte.

– Jeg vet at folk i Sogndal snakker om meg og mener at jeg har hatt mange mannfolkhistorier, men sannheten er at jeg aldri har vært utro mot Finn, verken før eller

110

etter den skjebnesvangre kvelden. Liv er resultat av ett eneste sidesprang, det er sannheten.

– Og han var en ung kapellan?

– Ja. Karoline virket ikke overraskete over at Rise visste dette også. – Han var yngre enn meg, og vi møtte hverandre da jeg var på Gjøvik sammen med kvinne-foreningen. Vi var samlet til andakt, og den unge kapel-lanen talte varmt om nestekjærlighet. Jeg husker det som det var i går, og ordene hans fikk meg til å gråte. Etter andakten stakk jeg meg bort og gikk ned til Mjøsa for å samle meg. Da kom han etter. Karoline slo ut med armene og sukket. – Det endte med at vi ble sittende ved vannkanten og snakke sammen. Jeg fortalte om ekteskapet med Finn, og lurte på om jeg viste for lite nestekjærlighet når jeg følte avsky for mannen min. Jeg husker at kapellanen la en brennende varm hånd over min, og ristet på hodet, mens han forsikret meg om at jeg var et godt menneske. Da begynte jeg å gråte.

– Det var vel ikke så rart, skjøt Rise inn. – For første gang på lenge møtte du noen som brydde seg om deg og sa noe pent til deg.

Karoline nikket langsomt, men hun presset leppene oppgitt sammen og gav tydelig uttrykk for at hun hadde vært dum.

– Det var nok sånn, ja. Snart hadde jeg et par trøs-tende armer om skulderen, og jeg klarte ikke å stanse gråten. Til slutt førte kapellanen meg inn i et båtnaust og fikk roet meg ned. Han strøk meg over ryggen og hodet og armene, og jeg kjente hvor inderlig godt det gjorde. Jeg kunne ikke huske sist jeg hadde kjent en så øm berøring, og jeg ville ha mer. Karoline så opp, litt trassig denne gangen. – Da bestemte jeg meg for at jeg skulle nyte stunden så lenge den varte, uten å ha dårlig samvittighet. Men jeg ante ikke at det skulle gå så langt som det gjorde.

– Det gjorde kanskje ikke kapellanen heller, foreslo Rise. – Dere ble vel revet med, begge to.

– Og jeg var eldst og burde hatt vett nok til å holde igjen. Men i dag kan jeg, med hånden på hjertet, si deg at vi hadde en vidunderlig stund sammen. Jeg nøt hvert sekund, og jeg har aldri siden opplevd en sånn inderlighet og varme som der i båtnaustet. Liv ble kanskje unnfanget i synd, men under en regnbue av dyptfølt takknemlighet og mjuk fryd.

– Og et gjensidig savn, la Rise til. – Den unge kapellanen hadde nok også sine lengsler. Jeg har snakket med én som kjente ham, og prost Daniel hadde bare godt å si om far til Liv. Han var mild og vennlig og snill, akkurat som datter si.

– Ja, slik var han. Vi møtte hverandre noen få ganger etter dette, men det ble for vanskelig. Han prest, og jeg gift kvinne … Den siste gangen vi snakket sammen, gav han meg halvparten av en medaljong. Som et symbol på at vi alltid ville høre sammen i sjelen. Det var *den* halvparten jeg bandt om håndleddet til Liv.

– Og den andre halvparten er hos prosten. Rise fortalte i korte trekk om hvordan hun hadde klart å skravere et omriss av prostens medaljong, og at den passet perfekt til den som tilhørte Liv. – Liv vet at faren hennes er død, at han var prest, og at han var en god mann.

– Og så har hun vel lurt på hva for heks mor hennes er? Karoline gjorde en grimase og så ut til å forakte seg selv.

– Det tror jeg ikke. Hun vet hvor hun ble funnet, og hun vet at mor hennes må ha vært veldig fortvilt som la henne der.

– Ja, det kan du være sikker på at jeg var. Finn fattet ikke mistanke til at jeg var med barn, for jeg har alltid vært liten under svangerskapet. Men det sier vel mer om hvor lite opptatt han var av meg, enn om min barntunge mage. Akkurat da var jeg kisteglad for at han ikke brydde seg stort om meg. Men jeg grublet meg nesten syk for å finne en utvei til å føde i skjul. Det var mamma som reddet meg.

– Hun ble syk og døde i Sogndal? Og du og Reier reiste dit for å ta farvel, var det ikke så?

– Jo. Heldigvis kunne ikke Finn komme fra, og dermed var jeg alene med bror min da fødselen nærmet seg. Reier ville at jeg skulle føde i skjul, og at vi skulle ta med ungen og legge den på en kirketrapp, men fødselen kom brått på da vi var på hjem igjen. Jeg fødte Liv under en heller på Sognefjellet, og jeg ammet henne i ett døgn i ei steinbu. Men jeg ble skrekkslagen ved tanken på at Finn skulle få vite om henne. Jeg tenkte ikke klart. Det eneste som stod i hodet på meg, var at jeg måtte kvitte meg med barnet. Ja, akkurat slik tenkte jeg da, og du er i din fulle rett til å avsky meg for det, Rise.

– Det er ikke min oppgave å dømme. Jeg forstår at du var fortvilt.

– Reier visste om grotten, og han foreslo at vi skulle legge barnet der. Da ville hun ligge tørt og i skjul for rovdyr. Herregud, du aner ikke hvor mange ganger hjertet mitt har vridd seg i smerte over det jeg gjorde.

– Historien er veldig spesiell. Men det endte altså godt.

– Takket være deg. Tror du at Liv er moden nok til å få vite sannheten?

– Ja. Hun er forberedt på at moren hennes vil dukke opp en dag, og jeg tror ikke det er noe i historien som vil skake henne opp. Skal jeg hente henne med det samme?

Rise tenkte at de like gjerne kunne få unna den første,

vanskelige samtalen. Siden ville det sikkert bli mange samtaler og flere spørsmål. Og så var det jo heldig at Liv var på Øvre akkurat nå.

– Hvis du tror det passer? Karoline kremtet og rettet seg opp i stolen. – Dere har andre gjester …

– Det er bare to andre losjerende, så pikene klarer seg nok uten Liv en stund. Det er ingen grunn til å utsette dette.

Rise gikk rolig mot eldhuset, der Liv og nyjenta rullet tøy. Men da hun kikket inn gjennom døra, avsluttet Liv arbeidet og kom mot henne.

– Det er meg du vil ha tak i, ikke sant? Liv var alvorlig, men øynene smilte. Med ett visste Rise at Liv Livsdatter allerede hadde skjønt hvem den fremmede kvinnen var.

– Ja. Denne dagen har vi ventet på, begge to. Er du klar? Rise strøk Liv varsomt over kinnet og så kjærlig på den unge kvinnen. – Jeg tror det blir fint.

På vei over garden tok Liv hånden til Rise i sin, og de leide hverandre mot døra. Liv hadde et fast og trygt håndgrep. Rise svarte med det samme.

Liv slapp ikke hånden til Rise før de stod utenfor godstugu. Da smilte hun forsiktig og hvisket: – Seksten år etter grotten …

Karoline reiste seg straks de kom inn, og nå var øynene blanke. Litt nølende løftet hun hånden, men

Liv gjorde alt mye lettere da hun gikk rett bort til kvinnen og gav henne en klem.

– Du er moren min. Jeg visste det da du kom, for jeg har ventet på deg.

– Liv, hvisket Karoline. – Ungen min. Jeg fortjener ikke slik velkomst.

– Vi har vært forberedt på å møte deg en dag, sa Rise for å hjelpe Liv. – Jeg foreslår at du forteller Liv det du har fortalt meg, så kan vi stille spørsmål etterpå. Hvis vi har noen. Da Liv så litt usikkert på Rise, la hun til:
– Torodd er opptatt med å få orden på vasstrøene og vassveiene i fjellet.

Karoline svelget og fiklet litt med den vesle veska si, men da hun kom i gang med å fortelle, var hun klar og presis. Hun unnskyldte seg ikke en eneste gang, men hun var veldig alvorlig og konsentrerte seg om å se på Liv. Liv på sin side, satt urørlig og lyttet oppmerksomt. Først da grotten ble nevnt, smilte hun svakt.

– Så la jeg deg på den bitte lille grasflekken i grotten, avsluttet Karoline. – Det var den verste dagen i mitt liv …

En rar stillhet fylte rommet. Liv flyttet blikket til vinduet. Rise betraktet den unge kvinnen, og øyenbrynene som trakk seg sammen i undring. Karoline stirret ned i fanget. På veggen hang Reiers malerier, og det var ikke lenger noe hemmelighetsfullt ved dem. Lufta var lett å puste inn, og det lå en eim av oppløst spenning i rommet mens Liv lot historien synke inn. Ingen sa noe. Ikke før Liv flyttet blikket tilbake til Karoline.

– Dro du bare videre etterpå? Hun så uforstående på mor si. – Jeg skjønner at du var redd for mannen din, men at du la meg ut for at jeg skulle dø, *det* skjønner jeg ikke.

– Ikke jeg heller. Jeg vet ikke hva jeg tenkte på. Jeg kunne blitt straffet. Men Reier visste hva vi gjorde, og *han* sørget for barnet uten at jeg var klar over det.

– På hvilken måte? Nå ble Rise også nysgjerrig. Hadde ikke Karoline nettopp sagt at de reiste fra grotten med det samme?

– Etter fødselen på fjellet tenkte jeg ikke klart, og alt rundt meg og i meg var ullent. Men Reier fikk fatt i ei kone som kom vandrende langs varderekka, og uten å fortelle meg det gjorde han en avtale med henne. Jeg tror han betalte henne rundhåndet. Avtalen var at hun skulle holde seg i nærheten av grotten for å se om noen fant deg. Hvis ikke, skulle hun ta deg med til prestegården.

– Men *du* visste ikke noe om det? Liv så betenkt ut.

– Nei. Det var bror min som tok ansvar.

– Hvem var den kvinnen? spurte Rise. Hun lurte på om det var noen fra bygda.

– Hulda. Pipe-Hulda. Du vet nok hvem det er. Hun reker overalt.

– Ja, hun røyker pipe og tar arbeid der det er å få. Men Hulda er et godt menneske. Hun hadde sikkert berget ei lita jente fra grotten om ikke jeg hadde gjort det.

Rise var lettet over å høre at Liv likevel ikke var satt ut for å dø. Og dette forklarte jo også hvorfor Reier var så opptatt av grotten og Liv. Når det gjaldt Hulda, kunne en mene og si mye om den kroppen, men kona var snill og velmenende, og skarp i blikket. Og hun levde livet sitt uten å bry seg om hva andre tenkte. Så lenge hun klarte seg selv og ikke plaget noen, fikk hun være i fred.

– Du må gjerne fordømme meg, og jeg respekterer det hvis du ber meg om å gå, sa Karoline til Liv. – I dag har jeg ikke prøvd å gjøre meg bedre enn jeg er. Nå vet du hvem som er mor di, og det er ikke lenger noe du trenger å gruble over. Men jeg skal ikke blande meg inn i livet ditt, bare ønske deg alt godt videre. Karoline strevde for å holde tårene tilbake, men hun ville ikke ha medfølelse. Det var ikke synd på henne.

– Mamma for meg vil alltid være Rise. Liv hadde så mild og varm røst at den kunne smelte talglys. – Jeg kommer ikke til å kalle deg mamma, men jeg kan kalle deg Karoline. Og selv om jeg aldri vil forstå hvordan du kunne legge fra deg et spedbarn i vissheten om at det kom til å dø, ønsker jeg ikke at du skal gå. Jeg er glad og lettet over å ha hørt den ukjente delen av historien om jenta i grotten, og siden jeg har hatt det hjelma godt på Øvre, er det ingen grunn til å bære nag. Jeg antar at dette er aller verst for deg.

Rise var nesten målløs over den lille talen til Liv. Jenta måtte ha tenkt grundig gjennom hva hun skulle si når denne dagen kom, og hun var så veltalende og bestemt at det var en fryd. Takket være en fornuftig ungdom så det ut til at dette møtet skulle ende godt for alle.

– Du kan kalle meg hva du vil. Jeg er bare veldig glad for at du ikke vender meg ryggen. Karoline tvinnet fingrer og kjempet for å holde gledestårene tilbake. Det var ingen grunn til å juble over det hun hadde fortalt, men lettelsen over at Liv var så rolig, dirret i kroppen.

– Nå som du snart flytter til Trondhjem, er det nok ingen av oss som kommer til å se deg ofte, sa Rise lett. Hun ville prøve å få samtalen tilbake til hverdagen. – Men det er fint at du begynner på et nytt kapittel i livet uten at du trenger å gruble mer over herkomsten din.

– Nå kan du bare se framover, sukket Karoline, – ikke bakover. Jeg er bunnløst takknemlig for alt det Rise har gjort for deg.

– Rise og Edvin og Torodd, presiserte Liv. – Og Fredrik Trond. Denne gården er full av gode, snille mennesker.

Men slik har det ikke alltid vært, tenkte Rise. Hun var rørt over ordene til Liv, og nå var det *hun* som måtte blunke litt ekstra.

– Det skjønner jeg. Karoline fisket opp en liten gjenstand fra veska og rakte den til Liv. – Jeg håper at du vil ta imot en liten ... Karoline-gave. Det er en naturperle, akkurat som deg.

Liv løftet perlen etter kjedet den hang i. Den var litt ujevn, men med en varm perlemorglans som gikk rett til hjertet.

– Nydelig, hvisket Liv. – Den er altfor fin.

– Kanskje den ikke hadde passet så godt om halsen på Hulda, smilte Karoline unnskyldende. – Men om *din* unge hals er den perfekt. Det er ikke ofte at gullsmeden har så fine perler i forretningen.

– Tusen takk. Liv festet kjedet om halsen og gav Karoline en klem. – Jeg kan ikke bruke den til hverdags, men i dag vil jeg ha den på ... Jeg lover å passe godt på den.

Da Liv litt senere forlot godstugu for å fortsette med arbeidet i eldhuset, holdt hun hånden over perlen og kjælte med den. Det var en vakker gave, men hun følte ikke bare glede. Den virkelige moren hennes hadde nok gitt bort smykket fordi hun følte en sterk kjærlighet til barnet hun hadde forlatt, Liv tvilte ikke på *det*. Men vissheten om at moren hadde vært villig til å la henne dø, var en stor skuffelse, og den tok litt av glansen fra perlen.

Liv kneppet den øverste knappen i blusen og skjulte perlen før hun gikk mot klesrulla. I kveld skulle hun møte Fredrik Trond, og det var mye hyggeligere å tenke på. Og denne gangen hadde hun nytt å fortelle …

Kvelden sammen med Karoline ble trivelig. Torodd fikk høre historien om Liv før de gikk til kveldsverd, og han gjorde alt han kunne for at stemningen skulle være lett. Før sengetid ruslet han sammen med Rise og Karoline langs bekken, og han tok seg god tid da de satte seg i garden for en siste kveldsprat. Karoline snakket litt om arbeidet hos gullsmeden, og hun fortalte at det endelig var blitt ro rundt glassverkstedet til Viljar. Etter at Dalgård var satt i arrest, hadde det blitt slutt på steinkasting og andre plager, og Anna så mer avslappet ut enn på lenge.

– Det er vel helst Vårins lærlingplass det snakkes om nå, humret Torodd. – Jeg skal si jenta er modig som går i forgyllerlære.

– Ja, men jeg tror at folk respekterer henne. Selv om mange mener det er upassende for ei jente å ha et slikt yrke, viser hun for alle at det lar seg gjøre. Og hun er visst dyktig. Etter et drøyt år i verkstedet til Skov er han full av lovord.

– Og i morgen drar du videre til Sogndal? Torodd så nysgjerrig på gjesten. – Kommer du til å stoppe ved grotten?

– Jeg vet ikke. Bare tanken gjør at det verker dypt inni meg. Karoline toet hendene og trakk øyenbrynene sammen. – Selv om Liv tok det pent, slutter jeg aldri å forakte meg selv for den handlingen.

– Du soner en livslang straff, svarte Torodd. – Og du må selv finne ut hvordan du best kan leve med den.

– Da jeg reiste fra Lillehammer, hadde jeg bestemt meg for at tiden var inne til å oppsøke dere. Men det kan godt hende jeg kommer til å angre, for nå er det ikke bare *jeg* som forakter Karoline, men dere også. Det blir en ekstra byrde.

– Jeg forakter handlingen din, men ikke *deg*. Rise prøvde å hjelpe Karoline slik at kvinnen kunne reise fra Øvre med løftet hode. Men hun måtte være ærlig. – Etter å ha lyttet til historien din skjønner jeg hvor fortvilt du må ha vært. Det er lett å miste klarsynet når vi er lammet av redsel.

– Alle kan trå feil, overtok Torodd. – Men enkelte ting kan vi ikke gjøre om på. Vi må bare godta dem.

– Og du er alltid velkommen til Øvre, skjøt Rise inn.

– Historien vår kan vi aldri rømme fra, men *jeg* er mer opptatt av Livs framtid enn av måten hun kom hit på.

– Dere er rause. Tusen takk. Nå som dere har tatt så godt imot meg, reiser jeg videre med litt lettere skuldre, og jeg kan begynne å glede meg til å møte slektninger i Sogn.

– God reise, Karoline. Hvis du trenger overnatting på vei tilbake, vet du at det er plass her. Men da er nok Liv tilbake i doktorgården, avsluttet Rise.

– Takk. Jeg skal ikke utnytte gjestfriheten her på gården, og dere kommer nok ikke til å se meg i Bøverdalen med det første. Det er få slektninger igjen i Sogndal, og det er en lang reise fra Lillehammer. Men takk igjen. Og god natt. Jeg går tidlig til sengs i kveld …

På samme tid som Karoline ønsket god natt, satt et ungt par i skogbrynet på oversiden av Nedre. Sommerkvelden var mild og vindstille, og arbeidsdagen var over for Liv og Fredrik Trond. Ungdommene satt slik at de var godt synlig fra gården, og Jo smilte for seg selv da han kastet et blikk opp mot skogen. Den unge gårdsgutten hans var sytten år, og det var ikke rart om karen begynte å kaste blikk etter jentene.

– Var det ikke rart å møte den ordentlige mor di? spurte Fredrik Trond. Liv hadde akkurat fortalt om samtalen med Karoline. – Kommer du til å kontakte henne igjen?

– Det var rart, men greit. Jeg har jo ventet på denne dagen, og plutselig var den her. Men jeg har ikke spesielt lyst eller noen særlig grunn til å oppsøke henne på Lillehammer. Kanskje jeg skriver et brev og forteller hvordan det er i Trondhjem, men jeg føler ingen bånd til henne. Det er Rise og Øvre som er min familie.

– Det er enda et par år til du flytter … Fredrik Trond så lenge på Liv. – Kanskje vi kan møtes litt oftere før du reiser. Det er hjelma trivelig å snakke med deg.

– Rise mener at jeg kanskje kan flytte neste sommer, ivret Liv. – Hvis jeg ikke kommer inn på kurset, kan jeg få undervisning i språk eller i geografi. Det får jeg sikkert bruk for når jeg skal være lærerinne.

– Så snart? Fredrik Trond så litt skuffet ut. – Du gleder deg?

– Ja. Det blir spennende å bo i en by, men jeg kommer til å savne Bøverdalen og Bergom.

– Ikke meg? Fredrik Trond så ertende på venninnen, men det var et snev av alvor i stemmen.

– Jo, det er klart. Liv snudde seg mot kameraten og smilte. – Det er ingen andre jeg snakker så åpent og lett med som deg. Og det er ingen andre som har tatt parti for meg så mange ganger som du. Klart jeg vil savne deg. Men jeg kommer jo tilbake.

– Om to, tre eller fire år, kanskje. Det er lenge, det. Og i mellomtiden har du sikkert fått deg kjærest.

– Og du er kanskje gift, svarte Liv.

– Og det blir slutt på samtalene våre.

– Men ikke vennskapet ... Langsomt gikk det opp for Liv at kontakten med Fredrik Trond kom til å bli veldig annerledes den dagen en av dem fikk seg kjæreste, og plutselig så hun på vennen med nytt blikk. Han hadde alltid vært der, og hun kunne ikke huske at han hadde vært slem mot henne én eneste gang. Snille Fredrik Trond. Visst kom hun til å savne ham!

– Vi får være flinke til å møtes det neste året, da. Fredrik Trond nappet opp en grastust og kastet den fra seg. – Du har vel fridager?

– Annenhver søndag og annenhver lørdag. Men aldri samme helg. Og så har jeg fri onsdagskveldene.

– Da skal jeg prøve å komme til Bergom en gang iblant når du har fri. Og kanskje er det noen dansefester vi kan gå på sammen.

– Det hadde vært trivelig. Liv plukket en fjellfiol og strøk fingeren over de svarte tegningene som ledet inn til nektaren. Blomsten var som gul fløyel i hånden, og nå la hun den på kneet til Fredrik Trond. – Husker du den gangen du filleristet Amund fordi han knuste den vesle buketten med fjellfiol som jeg hadde plukket?

– Den tosken moste jo blomstene dine i neven sin ...
bare for å være ekkel. Det er det dummeste jeg har sett,
og jeg sa bare hva jeg mente. Jeg tok ikke så hardt i, bare
ristet ham litt.

– Du skremte vettet av ham. Og så hjalp du meg med
å plukke nye. *Det* glemmer jeg aldri.

– Jeg ville ha gjort det samme i dag. Fredrik Trond så
litt brydd ut, men han lo og blunket lurt. – I dag ville
jeg antagelig vært enda hardere mot Amund.

– Skal vi møtes i morgen også? Liv mente det var på
tide å legge seg, for dagen startet tidlig når de hadde
losjerende som skulle videre over fjellet.

– Jepp. Samme sted?

– Avtale.

Fredrik Trond spratt opp og grep hånden til Liv for å
hjelpe henne på beina. Før han slapp, gav han henne et
fast håndtrykk og blunket vennlig. Han ikke bare her-
met tale etter far sin, han lignet også mer og mer på
Torodd. Men han kunne ikke skryte av å ha like mange
fregner ...

I dagene før avreisen til Skjolden fikk Rise og Liv tid til
noen gode samtaler på tomannshånd. Det virket ikke
som om jenta tenkte altfor mye på Karoline, men som
Rise, var hun mest opptatt av hvordan en mor kunne
forlate barnet sitt når hun visste at det kom til å dø.

Ingen av dem hadde noe godt svar, og de ble enige om å slå seg til ro med at mennesker iblant gjorde ting som var ubegripelige, og som de ikke skjønte selv heller. Når utfallet av handlingen ble så gledelig som i dette tilfellet, måtte de bare være glade for livet.

Og Liv *var* glad og fornøyd. Da Torodd og Rise hadde salet opp hver sin hest og tok fatt på ferden over fjellet, fulgte jenta med dem til Vegaskjelet. Der skiltes de, og Liv red videre mot Gjende. Fra Knatten skulle Eilert ri sammen med henne, og det var et trygt reisefølge.

– Jeg må jo få noen dager på sætra i år, sa Liv til avskjed. – Hvis jeg flytter til Trondhjem neste sommer, blir det lenge til jeg får se Gjende igjen.

– Hils til Bjørg, bad Rise. – Og god tur.

Torodd og Rise holdt hestene en stund mens de så etter den unge kvinnen. Liv satt godt i salen, og hesten var stø på foten da den nærmet seg bølingen fra sætergrenda. Kubjølla blandet seg med suset fra elva, og et forsiktig vinddrag førte med seg lukten av einer og duggfrisk dvergbjørk. Sommer, tenkte Rise. Dette *er* sommer.

Rise og Torodd red i god fart forbi Bøvertonvatnet, der faret etter raset fortsatt var synlig. De fortsatte forbi grotten og videre opp Breidsæterdalen forbi Prestesteinsvatnet og helt til Hervabui før de tok en hvil.

Mørke skyer tårnet seg opp fra sørvest, og Fanaråken lå inntullet i skodde og regnskyer. Men hestene trengte en hvil, og det var tid for en matbit.

– Vi kan sitte utenfor steinbua, foreslo Rise. – Hvis det ikke kommer styrtregn, er det varmere og triveligere ute enn inne i mørket.

Torodd var enig, og han ordnet til en sitteplass inntil veggen. De hadde reinskinn og varme klær i salveskene, og da de omsider kunne åpne mat-tina, satt de ganske behagelig.

Skyene drev hastig over vidda mens sjølfolket fra Øvre tygde i seg lefse, flatbrød, spekekjøtt og ost. Litt fukt fra det lave skydekket la seg som blanke dråper i graset, men det store regnskyllet uteble. Rise syntes været var frekt og friskt, og hun likte lukten av vått rabbegras, ulike lavarter og musøre. Den blandingen var en av fjellets helt spesielle dufter, men den passet best akkurat her, ikke som parfyme på flaske.

– Er det ikke litt tidlig å sende Liv til Trondhjem allerede neste år? Torodd lente seg mot steinbua og hadde lagt et par votter bak hodet. – De tar vel ikke inn så unge kvinner på kurset?

– Kanskje ikke, men jeg synes hun er moden for alderen. Jeg tenker at hun kan bruke et år på å lære seg språk.

– Men hun trives med arbeidet i doktorgården? Torodd lukket øynene og strakte beina. – Er det hun selv som har kommet på tanken?

– Vi har snakket litt om utdannelsen hennes, og hun vil gjerne gå mer på skole. Det var vel jeg som foreslo dette med språk, for jeg synes hun skal lære noe som hun kan få bruk for.

– Så du tror at Liv kommer til å reise mye? Torodd gløttet på ett øye og så spørrende på kona si. – Kanskje hun burde ha overtatt Ley?

– Slett ikke. Men det kan godt hende at hun en dag kommer til å reise ut i verden. Vi har jo selv vært i England, og *jeg* har til og med vært i Paris og opplevd kunstnerlivet! Rise så ertende på Torodd. – Dessuten kommer det stadig flere utenlandske turister til Norge, og det er artig å kunne snakke med dem.

– Jenta er oppvakt, så hun kan sikkert ha nytte av mer lærdom. Jeg synes bare hun er litt for ung, mumlet Torodd.

– Hvis Fredrik Trond vil gå mer på skole, kan han det. Vi har råd til å koste en god utdannelse på alle barna våre. Rise lurte et øyeblikk på om husbonden var avindsjuk på sønnens vegne.

– Han har fått tilbudet, men Fredrik Trond vil heller drive med kroppsarbeid. Det mestrer han, og jeg tror han trives godt som gardsgutt hos Jo.

– Han lærer nok ett og annet på Nedre som han kan

få bruk for senere, nikket Rise. – Hva tror du om han fikk Sletti-plassen? Han kunne sikkert få noe brukbart ut av stedet.

– Han er for ung til å drive egen gård, svarte Torodd overrasket. Han hadde ikke tenkt at sønnen skulle få overta noen av eiendommene til Øvre. Fredrik Trond var jo ikke i slekt med Rise, og alle eiendommene stod i hennes navn.

– Om noen år kan han få prøve seg, svarte Rise lett. – Er han driftig og får bruket til å blomstre, kan vi skrive eiendommen over på ham.

– Det høres ut som en god plan. En god og rundhåndet plan. Gutten har ikke krav på …

– Fredrik Trond er en av oss, avbrøt Rise. – Om han ikke får den største av gårdene våre, skal han ha et bruk å leve av. Arven etter lorden skal komme alle barna våre til gode.

– Det viktigste er at ungene har det bra. Gutten er sytten år, og han begynner vel snart å se etter jentene. Hva tror du om det? Torodd reiste seg og ristet fukt av lua. – Hvem kan være et godt parti for ham?

– Gunn Åket eller Silje Moen er flotte jenter. Rise svarte litt for fort mens hun satte lokket på mattina. – De leste for presten sammen med våre to.

– Du har tenkt mye på dette, skjønner jeg.

– Ikke så mye, men jeg har jo tenkt litt på hvem som

kan bli en god ektemann for Liv. Og da ser jeg jo for meg alle ungdommene …

– Fredrik Trond og Liv ser ut til å trives godt sammen. Er du redd for at de skal bli kjærester? Torodd surret fast reinskinnene og hjalp Rise opp i salen. De måtte videre før det begynte å regne tett.

– Jeg synes i hvert fall at de trenger å oppleve andre steder enn denne bygda før det blir alvor. Kanskje Fredrik Trond har lyst til å se seg om på Lillehammer eller i Kristiania?

– Det har han nok. Tenker du at han skal ta seg tjeneste der?

– Nei. Jeg tenkte bare at han kunne få lov til å bli litt kjent med bylivet. Anna og Viljar kan ta imot ham på Lillehammer, og i Kristiania har vi Selma og Hallvard. Rise håpet at forslaget hennes ikke ble oppfattet som et forsøk på å sende gutten bort fra bygda. Men skulle hun være helt ærlig, var det vel akkurat *det* hun prøvde på.

– Jeg tror ikke du liker at ungdommene er så mye sammen. Torodd svingte seg opp på hesten og grep tøylene. – Men de har jo alltid vært gode venner.

– Det er fint at de har et godt vennskap, svarte Rise og rødmet lett over avsløringen. Hun hadde håpet å unngå denne ordvekslingen før Liv reiste til Trondhjem. – Jeg er bare redd for at de glemmer å løfte blikket. Jeg tror de har godt av å erfare ting hver for seg.

– Du er så fornuftig, sukket Torodd og smattet på hesten. – Kanskje Fredrik Trond virkelig kan ha godt av en tur til byen, men det er ingen hast. Først skal vi finne ut om Svein Ulrik og Lars Ola vil være med oss hjem fra Skjolden. Er du klar til å ri videre?

7

Rise og Torodd nådde Skjolden sent på kvelden. I stedet for å overnatte valgte de å ri helt ned til fjorden med det samme, for de var allerede ganske våte. De siste timene hadde regnet strømmet rett ned som gjennom ei melkesil, og fjorden var bare et grått skum av regndråper da de svingte opp mot Valle. Men guttene hadde sett hestene på lang avstand, og det var en liten delegasjon som stod på trappa og tok imot da de svingte inn på tunet.

– Det er litt av et vær dere har å by oss, spøkte Torodd og hoppet ned fra hesteryggen så vannspruten stod om ham. – Jeg skjønner godt at dere trenger sydvester på dette stedet.

– Vi har kjøpt til dere også, ivret Lars Ola og gav mor si en klem. – I Bergen, la han til.

– Så dere har vært i Bergen? Det gleder jeg meg til å høre mer om. Rise klemte guttene etter tur og var forbløffet over hvor store de var blitt i løpet av ett år. Eldstemann, Svein Ulrik, på snart fjorten, var blitt bredere over ryggen, og kroppen var tettere og kraftigere enn tidligere. Lars Ola hadde strekt seg godt i høyden, og ansiktet hadde fått et litt mer bestemt uttrykk. Men elleveåringen var den mest pratsomme.

– Kom nå inn og få av dere det våte tøyet, skjente Ulrik. Han syntes nok at det fikk være måte på gjensynsglede ute i regnet. – Dorthea lager sikkert litt god kveldsmat og noe varmt å drikke, og stallgutten tar seg av hestene.

Rise og Torodd var ikke vonde å be, og litt senere satt alle samlet rundt spisebordet og gomlet på ferske munker med syltetøy. Etter Bergensturen var dette blitt favorittretten til guttene, og Dorthea hadde skjemt dem bort med å servere munker titt og ofte.

– Da skjønner jeg at Agnes må sette munkepanna over varmen når vi kommer hjem, sa Rise. De hadde munkepanne på Øvre, men den ble sjelden brukt. – Er det vanlig å spise munker i Bergen?

– Line lager munker, opplyste Lars Ola. – Hun har lært det av … Han søkte hjelp med blikket hos Dorthea.

– Av en venninne fra Arendal. Farmoren smilte varmt mot barnebarnet, og det slo Rise at besteforeldrene virkelig hadde hygget seg sammen med ungene dette året.

– Vi bodde hos datteren til Sivert da vi var i Bergen, og der fikk vi godt stell, det er sikkert.

– Så hun trives i byen?

– Det skal være visst. Det Meyerske handelshus gjør det godt, og Line blomstrer når hun kan stelle i stand til selskaper og ta imot gjester. Ja, jeg tror nesten Line og Bjarte er mer forelsket nå enn da de giftet seg.

– Og jeg kan få arbeide der, sa Svein Ulrik oppglødd. – Bjarte sa at jeg kunne gå i handelslære hos ham når jeg ble stor nok.

– Det høres spennende ut, skjøt Torodd inn. – Men det er fortsatt en stund til du kan fare alene til Bergen.

– Jeg får prestehanda på meg neste høst, og da er jeg voksen.

Denne samtalen kom litt bardus på Rise, men den gav henne en kraftig påminnelse om at barna begynte å tenke selvstendig. Nå hadde guttene opplevd helt andre omgivelser enn dem de kjente fra Bøverdalen, og det hadde nok gitt dem noen tanker om at det fantes andre måter å brødfø seg på enn å drive gård. Det var slett ikke gitt at odelsgutten ville overta Øvre.

– Det er sant, sa Rise forsonlig. – Vi får snakke om de mulighetene som finnes når den dagen kommer. Hvordan har det gått med skolearbeidet i vinter?

– Fint. Læreren sier at jeg er flink til å lese, skrøt Lars.

– Og Svein Ulrik er flinkest til å regne.

– Har dere fått mange nye venner?

– Noen. Men de erter oss fortsatt fordi vi sier sjog.

– Dere bryr dere vel ikke om det lenger, fnyste Ulrik.

– Det har vært mange gutter på besøk her dette året.

– Ja, særlig etter at vi kom hjem fra Bergen. Svein Ulrik hadde nok gjort seg noen tanker om godt kameratskap, noe som Rise syntes var greit.

– Dere har sikket mye å fortelle, gjespet Torodd.

– Men kanskje vi skal få oss litt søvn nå. I morgen og de neste dagene gleder jeg meg til å høre mer om Bergen og båtturen og fiske i fjorden.

– Og isen, la Lars til. – Jeg har sagd isblokker. Det er hjelma vanskelig.

Rise og Torodd fulgte guttene opp på værelsene, men da Rise spøkte med at de kanskje ville bli igjen i Skjolden, ristet de energisk på hodet. Nei, de ville hjem til Øvre, for der kunne de hoppe fra løetaket om vinteren, og der var det flere hester.

– Så kan vi sove godt i natt, spøkte Torodd da han og Rise kom for seg selv. – Ungene vil i det minste bli med oss hjem igjen.

Den neste uka fikk guttene vise hva de hadde lært i løpet av året. I båten ordnet de med gaffelseil og garn og bløgging så det var en fryd. I naustet renset og saltet de fisk, og Svein Ulrik hadde lært seg å knytte nett til glasskavler. De visste også hvordan de skulle klippe epletrærne slik at det ble godt med frukt på dem. Bare tynne, ikke kutte toppen av treet, forkynte Lars Ola.

– Og så må vi ha skarp sag, akkurat som når vi sager is, fastslo han.

– Har du sagd mye is i vinter? ville Rise vite en dag hun og guttene hengte fiskegarn til tørk utenfor naustet. – Er det ikke kaldt og farlig?

– Det skal jo være kaldt, lo yngstesønnen. – Det er da det blir fin is. Men vi må passe oss så vi ikke ramler i vannet når blokkene løsner. Vi bruker digre sager til å skjære, og hjelma store tenger til å dra isblokkene i land.

Lars Ola pratet mer enn han ordnet med garnene, men Rise var så glad for å være sammen med guttene, at de godt kunne ha satt seg på en stein og sett på at hun gjorde arbeidet alene.

– Kunne dere tenke dere å bo i Skjolden i stedet for på Øvre, da? Rise gjorde seg ferdig med garnene og tørket hendene på en gammel frakk som hang på veggen. – Kanskje dere vil bli fiskere begge to?

– Neeei. Det er kaldt i fjorden om vinteren, og det er ikke så mye skog her, svarte Svein Ulrik. – Det blir kjedelig. For det går ikke an å reise til Bergen hvert år.

– Jeg vet i hvert fall om noen som gleder seg til dere kommer hjem, sa Rise. – Morten og Sigbjørn og hanen og Linnea har savnet dere.

– Skal vi være på sætra? Eldstemann så skjevt på moren. – Jeg har ikke lyst til å gjæte.

– Det er andre som kan gjæte, mente Rise. – Men Bjørg kan trenge hjelp med tunge løft og vedbæring. Ellers er det mye karfolkarbeid å gjøre både på Gjendesætra og heimsætra.

– Jeg kan spleise tau, foreslo Lars Ola, men ble straks korrigert av broren.

– Pøh, det kan du ikke. Ikke godt nok. Det er vanskelig å spleise tau.

– Det er *du* som ikke får det til, geipte veslebroren. – Farfar har sagt at jeg er flink.

– Dere kan i alle fall ta dere av hestene, brøt Rise inn. – Dere er vel store nok til det?

Hun fikk et samstemt nikk til svar mens hun så advarende på eldstemann. Svein Ulrik hadde nok en bemerkning på tunga når det gjaldt lillebroren og store hester, men han lot være å si noe. I stedet viste han moren garnsteinene som ble brukt som søkke når de satte garn, mens han fortalte at det var han som hadde sortert og lempet steinene i hauger etter vekta.

– Jeg tror vi får ta oss noen dager ved fjellvannet i høst, sa Torodd, som dukket opp i det samme. – Du kan sikkert lære meg noen lure knep når det gjelder å sett garn.

– Vi har spist mye fisk, svarte gutten raskt. – Jeg gleder meg til flesk og potet. Men vi kan godt fiske innpå fjellet.

Guttene hadde opplevd og lært mye dette året, og Rise var glad for at hun hadde sagt ja til oppholdet. Selvfølgelig var de fulle av begeistring over alt det nye, og livet ved fjorden bød på noen andre utfordringer enn de var vant med fra Øvre. Men etter som dagene gikk og det nærmet seg tiden for å reise, gledet de seg mer og mer til å komme hjem. Svein Ulrik nevnte stadig et par kamerater han hadde savnet, og han lengtet etter å få bruke øksa si i skogen ovenfor gården. Lars Ola savnet bekken der han pleide å bygge demninger, og han gledet seg til å sette rypesnarer i fjellet sammen med Torodd.

En kveld, etter at guttene var i seng, gikk Rise og Torodd bort til Sivert. Siden han bodde på nabogården, hadde de snakket mye med hverandre denne uka, men nå fikk de en rolig prat sammen. Sivert kunne fortelle at guttene hadde vært veldig greie, og båtreisen til Bergen hadde gått uten at noen ble sjøsyke.

– Line og Bjarte har et stort hus, og de trives godt i byen, sa Sivert fornøyd. – I tillegg til handel med varer fra utlandet driver Bjarte handel med fisk og skinn nordfra. Han gjør det godt, men jeg er redd for at han skal gape over for mye.

– Hvis han ikke har investert i for mange, store foretak, så klarer de seg sikkert selv om det skulle bli dårligere tider, mente Torodd. – Det er nok av historier om folk som har lånt seg til fant for å satse på en virksomhet som ikke har livets rett.

– Jeg tror de unge er fornuftige, svarte Sivert. – I hvert fall sier Bjarte at han bygger opp handelshuset litt etter litt, uten å låne store penger. Han takket blant annet nei til å sette penger i en fraktbåt sist vinter.

– Det er gode penger å tjene på frakt hvis alt går greit, mente Rise. – Men så er det store penger å tape hvis det går galt. Ikke alle bryr seg med å tegne assuranse for skip og varer. Hun tenkte på Sverre, bror til Jo, som eide en seilskute. Han hadde nådd målet sitt om å ha egen båt, og han hadde vært klok nok til å tegne forsikring.

– Tre uker etterpå forliste båten som Bjarte kunne ha satset penger på, sluttet Sivert. – Den var ikke assurert.

– Det er uansett fint å høre at Line trives og har det godt. Hvor mange barn har de?

– En jente og to gutter. Jeg får jo ikke fulgt dem så tett som jeg gjør med barna til sønnen min, Elias. Han og familien bor i Kaupanger, og det hender de tar turen hit. Når det gjelder de unge i Bergen, er det nok *jeg* som må reise dit. Sivert trakk på skulderen og var visst ikke særlig bekymret for at avstanden var lang. – Dere begynner å få store unger, dere også?

– Ja, nå blir det konfirmasjoner og ungdommer i huset i lang tid, svarte Torodd. – Liv har allerede flyttet, og neste år er det Svein Ulrik som er konfirmant.

– Svein Ulrik likte seg i Bergen. Det var kommet et tenksomt glimt i de hjerteformede øynene til Sivert. – Gutten viste stor interesse for fraktskutene og heise-anordningene på utsiden av pakkhusene, og han likte å være med Bjarte når fisken ble solgt til høystby-dende. Men han var mest opptatt av lagerhuset med alle mulige varer. Og jeg tror han brukte lang tid på å skjønne hvordan Bjarte klarte å holde oversikt over alle varene.

– Det er godt at gutten er nysgjerrig, lo Torodd. – Du skal se det blir handelsmann av ham i stedet for stor-bonde.

– Hvis han har lyst til å lære mer om å drive et han-delshus, er han velkommen til å bo en stund i Bergen etter konfirmasjonen. Jeg skulle hilse fra Bjarte og si det.

– Det var et flott tilbud, og vi lover å tenke over det. Rise skjønte at eldstesønnen måtte ha vist så stor inter-esse for handelshuset at Bjarte var overrasket og kan-skje litt smigret. – Vi håper jo at gutten vil overta Øvre, men vi skal ikke legge press på ham.

– Skjønner. Men uansett har han ikke vondt av å se hvordan arbeidslivet kan være … ute i verden. Til slutt sitter man kanskje tilbake på gården uten at noen av barna vil overta, sånn som her. Sivert slo ut med armene og så seg om i stua. – Men jeg har bestemt meg for at det ikke skal gå innpå meg. Hva Elias og Line gjør med gården etter at jeg dør, bekymrer meg ikke. De får leve sine liv som de vil, *jeg* lever mitt. Han blunket mot Rise, og begge tenkte på den gangen han nesten satte livet til på fjellet.

– Du har rett. Ungene våre blir voksne, og de tar egne valg. Det må vi bare godta. Rise merket at Torodd så på henne, men hun flyttet ikke blikket fra Sivert. – Vi får se hvor opptatt Svein Ulrik er av handelshuset i Bergen når det har gått et år.

– Ellers tror jeg at den yngste pyrilen kan tenke seg en framtid innen isskjæring, lo Sivert. – Lars Ola er som besatt av de store isblokkene.

– Nei, nå tror jeg det er på tide å reise hjem, sukket Rise. – Før guttene våre flytter over fjellet for godt. Hvordan går det forresten med Isselskapet?

– Det går utmerket. Etter at Bror Dalen ikke lenger er med som eier, har regnskapene vært gode. Skal jeg fortsette å ta hånd om dine andeler?

– Ja, tusen takk. Alle inntekter derfra skal gå til barna, så det gjør ingenting om jeg ikke får se tallene så ofte. Rise stolte fullt og fast på Sivert. Han tok også hånd om regnskapet og inntektene fra fiskebåtene, og han snakket aldri med andre om det hun og Anna tjente på fiskesalget.

– Da ønsker jeg dere en god tur over fjellet, sa Sivert da besøket var over. – Det var trivelig at dere tok dere tid til å bli noen dager. Står alt bra til med Anna?

– Ja. De har konfirmant i år, og kjenner jeg henne rett, har hun allerede planlagt et lite selskap. Om to år skal det siste av barna på Lillehammer stå for presten, og da blir det stille i fru Iversen-huset.

– Hils så mye neste gang du skriver brev til henne. Det kan hende jeg selv tar turen til Lillehammer for å hilse på fetteren min, advokat Valle Dale. Det er lenge siden jeg har møtt ham. Da skal jeg også se innom Anna og familien. Sivert gav Rise en fast klem, og selv om det fortsatt var to dager til de skulle reise, ble dette som en god avskjedsprat.

– Si bare ifra om jeg skal sende flere tønner med fisk eller mer frukt over fjellet, sa Sivert da de stod på trappa. – Her er nok av unge karer som tar et opp-drag …

Avskjeden i Skjolden hadde ikke blitt så tårevåt som Rise hadde fryktet, og det var bare Dorthea som hadde tørket øynene. Svein Ulrik og Lars Ola hadde begynte å snakke om sætra ved Gjende, ulvestua og olsokbålet så snart de hadde kommet opp på vidda, og fjordlufta var byttet ut med tørr, kjølig fjelluft. Og det tok ikke mange dager før alle sammen reiste over Høgvaglen ned til Gjende for å ta seg av fjellslåtten. Men dagene gikk litt for fort, syntes Rise, og snart var det bufar og hjemreise og konfirmasjon for Olemann på Midtre. Før hun visste ordet av det, stod de midt oppe i slaktetida og juleforberedelser.

– I år kommer ikke Liv hjem til jul, sa Rise en dag det kom brev fra kirkebygda. – Det skal være mange gjester på doktorgården i høytiden, og hun må arbeide.

– Så møter vi henne kanskje i kirka, svarte Torodd mens han løftet Øyvor opp etter armene. Veslejenta på fem var aldri i ro, og foreldrene gledet seg til hun skulle begynne på skolen. Den ungen trengte utfordringer og mange andre å leke med. – Fredrik Trond er nok den som har snakket mest med henne denne høsten, fortsatte Torodd. – Jo forteller at gutten ofte har vært i Bergom på fridagene sine.

– Da kommer han vel ikke til å ta skade av å holde jul her uten Liv. Ordene kom litt spissere enn det Rise hadde tenkt seg, og hun angret seg straks. – Har du spurt ham om han vil begynne på landbruksskolen?

– Jepp. Han jublet ikke over forslaget, men han avfeide det ikke heller. Jeg tror han skal få tenke litt på det.

– På nyåret skal jeg skrive til doktorens venner i Trondhjem og spørre om Liv kan få losji der, slik hun selv antydet. Så har jeg navnet på to lærerinner som underviser i engelsk og fransk. I første omgang ber jeg om timer i engelsk, så kan Liv selv finne ut om hun vil prøve seg på flere språk.

– Det høres ut som en grei løsning. Tenker du selv å følge henne til Trondhjem?

– Nei. Hvis hun har en adresse der noen tar imot henne, klarer hun seg alene. Jeg får nøye meg med å lese brev.

– Og så blir denne julen en prøvelse i å mestre savnet av godjenta. Torodd klappet Øyvor på baken og bad henne om å finne Linnea. De to søstrene lekte godt sammen, og storesøster var flink til å ta seg av lillesøsteren. – Snart er det bare oss to igjen her, sa Torodd og slo armene om Rise. – Da får jeg kona mi helt for meg selv ...

Julen ble feiret på vanlig måte, og det nye året kom som vanlig med kulde og frostrøyk og glødende ildsteder. Men kulda stoppet ikke den unge mannen som hver uke tok beina fatt og gikk til Bergom. Fredrik Trond fikk som regel sitte på med en skyss som kom forbi, men iblant måtte han gå hele veien, og da var han ikke tilbake før langt på natt. Men møtene med Liv var noe han gledet seg til hele uka, og bare han passet arbeidet sitt hos Jo, var det ingen som kunne klage på ham. Han møtte ofte Liv utenfor kirka, og så gikk de en runde på utsiden av kirkegårdsmuren før de fant seg et sted der de fikk sitte i fred. Når det var som kaldest, hadde Liv fått ordnet det slik at hun fikk ta imot vennen i stallstugu på doktorgården. Ryktene om de ukentlige møtene nådde også Øvre, men Rise gjorde ikke noe forsøk på å holde ungdommene fra hverandre. Så lenge de to møtte hverandre midt på dagen i all åpenhet, håpet hun at de fortsatt bare var gode venner. Dessuten gikk det fort til juli da Liv skulle reise.

En helg i slutten av april da Rise hadde et ærend i bygda, kjørte hun bortom doktorgården og hilste på. Doktorfrua serverte kaffe og hadde bare godt å si om Liv. Samtidig kunne hun fortelle at vennene som Liv skulle losjere hos i Trondhjem, var trivelige folk.

– Men de tillater ikke herrebesøk på rommet, og det kan vel være greit? Doktorfrua så muntert spørrende på Rise. – Det gjør vi ikke her heller.

– Jeg vet at Fredrik Trond har besøkt Liv ofte, svarte Rise. – De to har alltid hatt et nært forhold, men jeg velger å tro at det fortsatt bare dreier seg om vennskap og gode samtaler. Nå flytter Liv, og da må begge leve uten de ukentlige møtene.

– Du vet det vel, du som ser i gruten, smilte frua.

– Men både Fredrik Trond og Liv har vokst seg klu-vande kjekke. Ja, de er beint fram et pent par.

Rise nikket, men likte ikke at ungdommene ble omtalt som et par. Fortsatt ville hun ikke se dem for seg som kjærester. Og da hun litt senere fikk en prat på tomannshånd med Liv, nevnte hun alle besøkene til Fredrik Trond.

– Vi har så mye å snakke om, forklarte Liv ivrig. – Jeg kommer til å savne ham når jeg flytter.

– Du får sikkert noen nye, gode venner i Trondhjem, trøstet Rise. – Både gutter og jenter.

– Ja. Men Fredrik Trond kjenner meg så godt, og han er morsom og snill og hjelma trivelig. Jeg skal skrive brev til ham, men han kommer sikkert ikke til å svare. Gutter liker ikke å skrive brev, gjør de vel? Liv virket ikke særlig lei seg ved tanken på å reise fra vennen, men hun så alvorlig på Rise.

– Noen karer er flinke til å skrive brev, men jeg er ikke så sikker på om vår mann er av dem. Rise smilte og lovet at hun skulle skrive ofte og fortelle hvordan alle hadde det. – Gruer du deg for å reise?

– Litt. Men jeg gleder meg mest. Og så gleder jeg meg til å komme hjem igjen og arbeide som lærerinne.

– Det er fint, men lov meg at du blir godt kjent i Trondhjem først. Ta deg tid til å prøve bylivet. Kanskje du til og med kan få undervise på en skole i byen etter at du er ferdig med lærerinnekurset. Da har du litt erfaring før du kommer hjem og skal klare alt selv.

– Ja, jeg har også tenkt på det. Hvis jeg liker meg, kan det hende at jeg blir boende der en tid.

Dette lød som musikk i ørene til Rise, og hun ble straks rolig med hensyn til venneforholdet. Alt tydet på at ungdommene bare *var* venner. Og litt senere reiste hun hjem til Øvre i den tro at Liv og Fredrik Trond ikke hadde innledet et kjæresteforhold.

Hjemme på gården hadde Torodd hatt en ny samtale med sønnen, men heller ikke denne gangen var Fredrik Trond villig til å begynne på landbruksskole. Det hjalp ikke om faren antydet at en slik skole kunne komme godt med om sønnen en gang fikk sitt eget bruk å stelle.

– Jeg har ikke råd til å kjøpe eget bruk, fnyste Fredrik Trond. – Men hvis jeg sparer, og hvis jeg tar betalt for arbeidet i tømmer, kan jeg kanskje bygge ei stugu som jeg eier helt sjøl. Da trenger jeg ingen landbruksskole.

– Hvis du skal fortsette å være i tjeneste hos Jo eller hos andre, er det en fordel om du har skole. Dessuten må det vel være fint å få oppleve noe annet enn bygda her.

– Ja. Men det blir i hvert fall ikke dette året. Kanskje neste år. Hvis jeg kommer inn, da. Er det ikke bare folk som kommer fra storgårder som får plass på slike skoler?

– Det tror jeg ikke. Men du kommer jo fra en storgård. Du kommer fra Øvre.

Fredrik Trond gliste og slo far sin vennskapelig på skulderen. Han visste godt hvor han kom fra, og det var ikke fra Øvre. Verken han eller Liv kom fra en Torgilstadgård, *det* var sikkert.

Den kvelden satt Rise og Torodd lenge oppe og snakket om framtida til ungdommene. Og det var mange tanker og minner som fylte rommet i løpet av nattetimene.

– Dette ligner veldig på oss to, sa Torodd tenksomt. – Husker du ikke alle turene og samtalene vi hadde når du hadde fristunder? Vi gikk opp på fjellet og var alene hele fridagen din.

– Visst husker jeg. Og jeg kjenner fortsatt følelsen av forventning og håp når jeg løp gjennom skogen og opp på snaufjellet. Kanskje du var der, selv om vi ikke hadde avtalt det. Rise hadde kippet av seg skoene og lagt beina på en skammel. – Du var den beste vennen min.

– Men vi gikk hver vår vei. Du giftet deg. Jeg giftet meg. Torodd strøk hånden gjennom håret så det ble stående rett opp. – Og hele tiden var det noe inni meg som ikke ville gi slipp på deg.

– Vi var jo fortsatt gode venner, mintes Rise. – De

gangene vi hadde tid til å prate uforstyrret sammen, gjorde meg inderlig varm om hjertet. Ingen andre fikk meg til å le og slappe av like godt som du.

– Kanskje vi skulle ha kommet sammen før. Jeg var på nippet mange ganger …

– *Var* du? Rise så overrasket opp. – Jeg trodde aldri at jeg betydde noe mer for deg, eller … Det tok meg kanskje litt tid å innse at jeg var kjær i deg. At vennskapet vårt var noe mer. Men angrer du på ekteskapet med Lisa?

– Nei, det gjør jeg ikke. Og jeg håper ikke at du angrer på ekteskapet med Edvin.

– Edvin og jeg hadde det veldig fint, og han var en god husbond. Jeg savner ham fortsatt, sånn som du sikkert savner Lisa iblant.

– Ja. Men det hadde ikke gjort noe om vi ble kjærester den gangen …

– Du tenker på Liv og Fredrik Trond, sukket Rise. – Men omstendighetene er litt annerledes for dem enn de var for oss. Barna våre har andre muligheter enn det vi hadde, og jeg vil så gjerne at de prøver ut mulighetene før de binder seg.

– Helt til den ene finner seg en annen kjæreste og den andre blir gående så lenge at det ikke er noen kjæresteemner igjen?

– Helt til de finner ut av det selv. Ingen av dem har

sagt at de er kjærester. Den dagen det virkelig går opp for dem at de elsker hverandre, bryr de seg ikke om hva vi mener. Se bare på Viljar og Anna.

– Men de kan skånes for mange sorger og nederlag om vi gir uttrykk for at vi ikke har noe imot et slikt forhold.

– Det hører med til selve livet at de gjør seg erfaringer. Som jeg har sagt tidligere, tror jeg at Liv og Fredrik Trond kan ha godt av å gifte seg inn i nye familier. La dem bare få litt tid på seg til å bli kjent med andre. La dem være fra hverandre en stund.

– Liv er fortsatt ung, så det er vel en god grunn til å ta tiden til hjelp, mumlet Trodd. – Men jeg er redd for at hun kan finne seg en kjærest i Trondhjem.

Rise svarte ikke på det siste, for dette var første gang hun og Torodd var dypt uenig om en viktig sak, og det kjentes ikke godt. Kanskje hun var altfor streng. Men hun tenkte jo også på Fredrik Trond, for hun var inderlig glad i dem begge …

8

Den andre uka i juli 1882 var Liv reiseklar. Hun hadde fått tilbud om å arbeide som tjenestepike tre dager i uka hos vennene til doktorfrua. De andre dagene skulle hun få privattimer i engelsk og geografi. Høstens lærerinnekurs var visst fulltegnet, men det var godt håp om at hun fikk komme med ved neste opptak.

– Jeg gleder meg, sa Liv gråtkvalt da Rise og Torodd stod ved hestevogna for å ta farvel. – Jeg gleder meg, men jeg kommer til å savne dere veldig. Dere har vært så snille …

– Vi vil også savne deg, svarte Torodd og slo armene om jenta. – Det er jo bare et tegn på at vi er glade i hverandre. Og du kan alltid komme hjem til Øvre hvis du trenger hjelp, eller noe er leit.

– Jeg vet det. Liv smilte gjennom tårene og tok imot klemmer fra Rise. – Jeg skal skrive brev. Hun fisket opp en liten pakke og la den i hånden til Rise. – Vil du ta vare på denne for meg? Jeg trenger ikke å ha den med til Trondhjem, for jeg kommer ikke til å bruke den så ofte. Det er perlen jeg fikk av Karoline.

Rise nikket og tok imot uten å si noe mer. Selv om Liv ikke fordømte moren sin på Lillehammer med rene ord, var det nok vanskelig for henne å føle nærhet til kvinnen. Ved å legge igjen perlegaven la jenta igjen litt av tankene og følelsene sine når det gjaldt Karoline, og *det* var en lur ting å gjøre.

– Stol på deg selv, hvisket Rise til slutt. – Du får til akkurat det du vil, men ikke gjør noe som du mener er galt. Jeg er så stolt av deg!

Rise var sikker på at Liv ville klare seg godt på egen hånd, og hun hadde selv ordnet med skyss og trygg overnatting underveis for jenta. Nå var det på tide å slippe henne av gårde …

Rise og Torodd vinket helt til skyssen svingte ut på postveien og ble borte. Først da snudde de seg mot doktorfrua og takket for alt hun hadde gjort for Liv.

– Hun er ei blid og god jente, og både mannen min og jeg kommer til å savne henne i huset. Alle gjestene våre ble betatt av Liv.

– Det var i hvert fall fint at hun kunne reise herfra, og ikke helt fra Øvre, sa Torodd. – Nå går det fort til Vågå og Sel, og *da* er mye gjort. Så snart hun nærmer seg Dovre, er Lom et fjernt minne.

– Ungdommen er flinke til å se framover, trøstet doktorfrua. – Da vår eldste sønn reiste til Kristiania for å studere, tror jeg ikke han kom lenger enn til Garmo før han hadde ristet av seg pappas formaninger og gode råd. Det er vel sånn det skal være.

Rise og Torodd avslo tilbudet om å spise dugurd på doktorgården. De hadde vært grytidlig oppe for å se Liv av gårde, og nå ville de innom leggplassen, før de gjorde en stopp hos bror til Torodd. Men de avtalte at de skulle komme på besøk senere.

– Det føles rart, men det gjør også godt å vite at Liv er på vei mot nye mål, sa Rise da Torodd smelte med tømmene. – Nå har hun virkelig forlatt redet.

– Men det kan ta litt tid å lære seg å fly. Vi får håpe at hun klarer seg uten for mange harde landinger. Torodd grep hånden til Rise og klemte fast. – Til høsten er det Svein Ulrik som skal få prestehanda på seg, så han blir den neste som flytter fra oss.

– Ja. Rise stirret betenkt på hesterumpa som danset foran dem. – Og jeg er redd for at han havner i Bergen. Han har stadig snakket om handelshuset til Bjarte Meyer. Når jeg nevner landbruksskole eller andre muligheter, viker han unna.

– Så la ham få en tid i Bergen. Når han ser *alle* sidene ved virksomheten til Bjarte, kan det hende han heller vil drive gården. Torodd trakk i tømmene og styrte hes-

154

ten inn på postveien i motsatt retning av der Liv hadde kjørt for litt siden. – Du sier jo selv at de unge har godt av å oppleve andre omgivelser.

Rise kunne ikke protestere, for dette var hennes egen begrunnelse når det gjaldt å få Liv av sted. Bort fra Fredrik Trond. Det var ikke riktig av henne å prate eldstesønnen bort fra ønsket om å lære mer om handel.

– Vi får bruke vinteren til å snakke om dette, svarte Rise og kastet et blikk nedover veien mot Vågå. – Og så får du gi ham oppgaver på gården som … Plutselig avbrøt hun seg selv og bad Torodd stoppe. – Er ikke det skyssen til Liv som står der borte i svingen?

Torodd trakk i tømmene og snudde seg for å se. Flere steinkast unna, like før en skarp sving, stod en vogn. Ved siden av vogna så de en brun hest med sort man, men det var ingen i salen.

– I grøftekanten til høyre for vogna, sa Torodd stille. Han trakk pusten dypt og så urolig på Rise. – Det er to …

– Liv og Fredrik Trond. Rise svelget. De to ungdommene stod tett sammen. – Jeg trodde at de *hadde* tatt avskjed med hverandre.

– Gutten har fått låne hest. Torodd hadde vondt av sønnen, men han skjønte også at følelsene til de unge ble satt på en fornuftig prøve ved denne atskillelsen. Hvis dette viste seg å være ekte kjærlighet, skulle han være den første til å snakke Fredrik Tronds sak når den tiden kom.

– Det er rørende, hvisket Rise. Hun fikk med seg at gutten bøyde seg ned og kysset Liv på kinnet. – Han har ridd etter henne for å få en siste prat.

– Og kusken er så grei at han venter. Torodd måtte smile, men han hadde et vemodig uttrykk i ansiktet. – Det kunne ha vært oss, Rise. For over sytten år siden.

– Mmm. Det var mange følelser som romsterte i Rise da hun så at Fredrik Trond leide Liv tilbake til hestevogna. Gutten slapp ikke hånden hennes før vogna begynte å trille, og først etter at han hadde løpt ved siden av et lite stykke. Til slutt ble han stående tafatt på veien og se etter skyssen som forsvant rundt svingen.

– Han kommer nok over det. Torodd smattet på hesten og satte fart på. – Jeg håper ikke at han så oss.

Rise var stille og tenksom resten av dagen, men da de nådde hjem sent på kvelden, var hun og husbonden enige om at ungdommene hadde godt av å være fra hverandre. Men ingen av dem ville avkreve den andre løfte om at de ville gi sitt ja til et ekteskap. Tiden fikk vise hva som kom til å skje.

Denne sommeren holdt Rise seg på gården, fordi Svein Ulrik var prestleser. Fra Øvre var det kortere vei til kirka enn fra sætra, og gutten syntes det var greit å arbeide sammen med Torodd i stedet for å være på sætra med småungene, som han selv sa. Rise brukte tiden til å gjøre ferdig et par store bildevever, og ellers tok hun fortsatt imot losjerende. På den måten fikk hun høre nytt fra by og land, og iblant snakket hun engelsk med utlendinger. Men én dag fikk hun seg en stor og uventet overraskelse da en fremmed vogn trillet inn i garden.

Rise kom fra eldhuset da hun så at en skyss rundet husnova, men hun så ikke hvor mange som satt i vogna. Ofte var det ektepar som skulle over fjellet, og som ville ha en rolig natt utenfor skysstasjonen. Det kunne også være eventyrlystne herrer som kom for å bestige fjell-topper, men *de* likte seg nok best der det var mer liv og flere reisende. Denne dagen hadde vært rolig så langt, og egentlig hadde Rise håpet at det ikke ville komme gjester i natt. En gang iblant kjentes det godt for alle på gården at det ikke var fremmedfolk i huset.

Rise skyndte seg framom for å ta imot gjestene, og hun forberedte seg på å svare høflig på de vanlige spørs-målene om værelser, servering og pris. Men da hun nærmet seg hestevogna, bråstoppet hun og så forfjam-set på den unge jenta som kom mot henne. Det tok litt tid før hun kjente igjen trettenåringen.

– Tante Rise, det er oss. Vi skulle overraske deg! Marit Sofie slo armene om Rise og lo. – Du ser ut som om du har sett skrømt, lo hun. – Vi er ikke farlige.

I det samme kom Anna og Viljar framom vogna, og det ble stor gjensynsglede. Rise hadde ikke drømt om at søsteren skulle dukke opp på Øvre denne sommeren, for hun hadde skrevet i brev at det ble for travelt dette året. Nå stod hun der og lo så øynene ble våte.

– Nå som Liv har reist, tenkte vi at du trengte litt trøst, spøkte Viljar. – Og hva er bedre enn å få en hel familie på besøk?

– Jeg synes nå at den familien har skrumpet svært inn siden sist den var her, parerte Rise, og telte høyt. – Én, to, tre.

– Torolf ble konfirmert i fjor, og han arbeider på hotellet i sommer, forklarte Anna. – Til høsten skal han fortsette på gymnasium. Han er ganske oppvakt, så vi er spente på hva han får til. Drømmen er visst å studere jus. Storm og Vårin er jo for lengst i lære.

– Og du, Marit Sofie? Hva skal du gjøre etter konfirmasjonen om et år? Rise så på jenta og tenkte med et stikk at det ikke var lenge siden Liv hadde vært på samme alder. Hvor var tiden blitt av?

– Jeg skal bli jordmor og drive egen gård. Svaret kom fort og med overbevisning. – Kanskje jeg kan flytte til Nyheim eller til Gjel. Jenta så spørrende på far sin, og Viljar nikket.

– Vi eier jo fortsatt det vesle bruket på Lillehammer, men Nyheim egner seg ikke for geitehold. Som du skjønner, har vi snakket litt om framtida, blunket han til Rise. – Heldigvis er det fortsatt en stund til de store beslutningene må tas.

– Men nå er dere her, og vi må få dere innlosjert. Etterpå blir det kaffe og biteti. Rise slo hånden ut mot de hvitmalte bordene og stolene som stod i grupper i garden. – I dag er det ikke andre gjester her, så vi har hele garden for oss selv.

Da Torodd fikk øye på gjestene, lyste han opp og trakk Viljar med seg bort til låven. Der viste han svogeren den nyeste redskapen, en slåmaskin som kunne slå bredere enn noen annen. Den var laget i Chicago i Amerika, og han skulle prøve den for første gang denne høsten.

– Du må fjerne noen av gjerdene mellom åkerteigene, foreslo Viljar. – Det gjør det lettere å slå større områder på en gang.

– Jepp. Og når jeg kjøper en ny hakkelsmaskin, får jeg utnyttet halmen bedre, og kan fôre godt i vårknipa.

– Dere merker vel ikke stort til vårknipa på Øvre. Viljar studerte kniven på slåmaskina og nikket anerkjennende. – Det kommer mange nye landbruksmaskiner nå. Jeg hører blant annet at en kar på Klepp planlegger å starte plogfabrikk neste år.

– Ja, en kan jo lure på om det er lønnsomt å bruke så mye penger på redskap i dag når det dukker opp nye og bedre maskiner i morgen. Torodd strøk av seg lua og dro hånden gjennom håret før han satte den på igjen.

– Men vi har råd til det, og alt som kan gjøre arbeidet lettere og raskere, er verdt å prøve.

– Du får melde tilbake etter skurden, sa Viljar.

– Kanskje det er noe for Gjel også? Det er jo vi som kjøper redskap og utstyr til gården selv om andre driver den. Det gjelder forresten Nyheim også, men der har vi såmaskin og sleperive og en hestevandring som duger.

– Jeg må vel ordne meg med en hestevandring, jeg også, svarte Torodd. – Når jeg kjøper ny hakkelsmaskin, er det fristende å la hestene gå i ring og trekke drivverket til maskinen.

– Det er nok å bruke penger på når du driver stor gård, lo Viljar. – Jeg har i hvert fall lært at det ikke er lurt å forhaste seg. Sist sommer kjøpte jeg ny glassovn til verkstedet, og i år er det kommet en enda bedre modell.

– Har du overlatt verkstedet til Storm i sommer? Torodd lukket låvedøra, og karene fortsatte praten på låvebrua. – Han er flink, skjønner jeg.

– Han gjør det bra. Men han har fortsatt litt å lære før han kan tenke på mesterprøven. Så lenge Poppe og Peder Bruun er på plass, kan jeg trygt ta meg fri noen dager. Viljar sparket bort en jordklump og pustet dypt.

– Vi hadde ingen planer om å reise hit i år, men for noen uker siden fikk Anna det for seg at vi *måtte* dra likevel.

– Det var hjelma trivelig. Da foreslår jeg at vi tar en fisketur til fjellvannet der båten ligger, røker ørreten etterpå og hygger oss med jentene. Kanskje Marit Sofie har lyst til å være noen dager sammen med Linnea på Knatten?

Mens karene planla fjelltur, bestemte Rise og Anna at de skulle bo på heimsætra til Øvre de neste dagene. Så lenge krytyrom var ved Gjende, stod heimsætra tom, og de kunne bruke tiden til å gå på tur og samle planter.

– Når byfolk kan reke rundt i fjellet uten annet mål enn å hygge seg, kan jammen vi gjøre det også. Rise blunket muntert til søsteren. – Kanskje du til og med blir kvitt den irriterende hosten din når du får snust inn lukten av fjellplanter.

– Det er bare en tørrhoste som ofte kommer når jeg er i nærheten av hester, forklarte Anna. – Ikke noe å bry seg med. Jeg gleder meg virkelig til noen late dager i fjellet.

Et par dager senere ble det til at de to parene reiste til sætra. Marit Sofie og Linnea ble satt av på Knatten, mens de fire voksne red videre til heimsætra. Det var kort avstand mellom de to sætergrendene, og lyden av

161

kubjølla til Gjel hørtes over lange avstander, for fortsatt var det slik at gården til Anna lånte Knattensætra om somrene.

Mens karene nistet seg ut og dro på fisketur, brukte Anna og Rise dagene til å samle blader av fjellmarikåpe, fjellflokk og andre planter. De hadde lange samtaler om framtida uten barn i hjemmet, og de snakket om Karolines innrømmelse når det gjaldt Liv.

– Karoline har vært en god venninne, sa Anna da de tok en hvil på toppen av Leirhøe. Utsikten ned mot Høydalsvatnet og fjellene rundt var storslagen, hun kjente seg hjemme ved synet. – Men nå synes jeg at det er vanskelig å være helt åpen og avslappet når vi er sammen.

– Tror du at hun har holdt kontakten med deg alle disse årene bare for å få vite hvordan det stod til med Liv?

– Det er lett å tenke slik, men jeg håper ikke at det er tilfellet. I ettertid skjønner jeg jo hvorfor hun ofte spurte etter deg og barna, og noen ganger også direkte etter Liv. Og jeg husker godt hvor slapp og elendig hun så ut den første tiden vi kjente hverandre. Men det var ikke så rart når hun nettopp hadde født.

– Hun har i alle fall vært modig som har stått fram. Når Liv ikke slår hånden av henne, trenger ikke vi å gjøre det heller.

– Jeg skal ikke vende henne ryggen, men vennskapet er blitt litt … forstyrret. Anna smilte og hostet. – Vet du hva jeg har lyst til?

– Gi henne en skyllebøtte?

– Nei, ikke mer Karoline. Jeg har lyst til å ri ned til prestsætra ved Dalsvatnet. Jeg kan ikke huske sist jeg var der.

– Det var et godt forslag. I morgen saler vi på. Karene kommer ikke tilbake før dagen etter det, så vi kan gjøre akkurat som vi vil.

Rise var overrasket over hvor lett det var å ikke gjøre noe annet enn å være sammen med søsteren. Hun savnet ikke gården og arbeidet, men nøt å ha fri. På vei til Prestsætra kunne de ri ved siden av hverandre store deler av veien, og praten gikk om oppveksten på Knatten og om foreldrene, som døde så altfor tidlig. Men begge hadde bare gode minner fra de første barneårene, og Anna lo godt da hun så på Rise og ristet på hodet.

– Vi to er egentlig ganske forskjellige, men jeg tror at vi føler den samme roen og gleden når vi er i fjellet. *Du* er bare litt livligere enn meg.

– Eller *du* er litt roligere enn meg, humret Rise. – Mange ganger skulle jeg ønske at jeg hadde hatt litt mer av din tålmodighet og rolige væremåte.

– Da hadde du ikke vært Rise. Mamma og pappa lot

163

oss få være akkurat slik vi var, og det er jeg hjelma glad for. Anna holdt hesten et sted der de hadde god utsikt til den skummende Høydalsfossen. – Jeg er så glad for disse dagene sammen med deg, kjære søster. Det er som noe inni meg faller helt til ro.

– Kan hende du likevel ønsker å flytte tilbake til Gjel? Rise husket at de hadde snakket om dette tidligere, men Anna trodde hun var for mye bydame til at hun kunne trives her hele året.

– Kanskje. Jeg har i aller fall hatt noen gode dager.

– Og dere skal ikke reise hjem ennå. Vi kan fortsette å hygge oss helt til snøen kommer, vi? Og så kan jeg lære deg å spille bukkehorn.

– Bukkehornet er *ditt* område. Men jeg lytter gjerne. Anna sporet hesten med et smil, og så red de sammen ned til Prestsætra.

– Jeg hadde nesten glemt hvor vakkert denne sætra ligger til, roste Rise da de ble tatt hjertelig imot på vollen. Hun kjente gamlebudeia godt, for det var Hilda som tidligere hadde vært budeie på grannesætra til Øvre. – Har det vært mange vandrere innom her i sommer?

– Noen. De fleste som kommer, er reisende som kjenner presten og frua. Men en og annen student har da fått smake av rumgrauten. Hilda ordnet med tallerkener og spekekjøtt og forlangte at Rise og Anna lot mattina være igjen i salveska. – I dag er det verken ysting eller kinning på gang, så dette passer fint.

Mens kvinnene spiste deilig, feit rømmegrøt, beitet kyra fredelig i lia bortenfor. Nede ved vannet ruslet en annen bøling, og speilbildet av dem tegnet seg tydelig i den blikkstille overflaten. Anna ønsket at denne stunden skulle vare lenge, for hun kunne ikke huske sist hun følte seg så avslappet. Og mens hun nøt grøten, lot hun blikket vandre. Utenfor fjøset var rene bøtter og spann hvelvet over gjerdestaurene, og i bekken duppet melkespannet i takt med vannstrømmen. Et skaut og en strikkejakke hang til lufting på fjøsveggen, og på steintrappa til selet stod en kjele med poteter. Blomsterenga på baksiden trakk til seg sommerfugler og andre insekter på doven leting etter mat, og lyden av summende fluer og veps forsterket bare den gode sommerfølelsen. Over det hele lå en trygg eim av fjøs, varm melkemat, prim og friskt fjellgras. Anna lukket øynene, og tankene fløt vekk til ingensteder. Alt var bare fredfullt.

– I går fant jeg ei søye med brekt bakbein og et lam med avrevet øre, fortalte Hilda, og brått var hverdagen tilbake for frua fra Lillehammer. – Det forundrer meg ikke om vi har rovdyr i nærheten.

– Gaupe eller bamse? lurte Rise. – Det er lenge siden vi har sett gråbein i området.

– Lammet hadde merker i nakken, så jeg mistenker

heller jerven. Den fanten er det ikke lett å skremme vekk når den først har kommet til matfatet.

– Det hjelper kanskje om det går folk i terrenget om dagen, foreslo Rise. – Luktene kan vel skremme den unna.

– Sauene er spredt over store områder, så det monner vel lite. Men jeg skal få med budeiene på de andre sætrene og gå en runde i lia hver dag. Det er i det minste verdt et forsøk.

Etter måltidet tok Hilda fram bundingen, og en ullsokk vokste fram mens de pratet. En lang stund satt kvinnene på sætervollen og hygget seg, helt til Rise mente at det var på tide å bryte opp. Det hadde vært en sjeldent fin dag, men Hilda og den unge hjelpebudeia skulle snart forberede kveldsstellet, så nå var hvilestunden over.

– Det var trivelig å se dere to sammen igjen, hilste Hilda til avskjed. – Ri forsiktig over fossen, og leva så væl.

Anna og Rise nynnet hver sin melodi på vei tilbake til heimsætra. De var i godt humør, og kinnene brant etter en hel dag ute i sola. En ekte byfrue ville nok ha ment at det virket simpelt med et brunbarket kvinneansikt, for det tydet på et liv med strev og utearbeid. Men da visste hun ikke hva hun gikk glipp av, tenkte Anna sorgløst. Denne dagen skulle hun aldri glemme.

Men det ble flere gode dager på sætra før Anna og Viljar vendte nesa mot Lillehammer. Da karene kom fra fiske, fikk de det travelt med å ordne til røykeovn, og kvinnene fikk litt å gjøre med å tilberede fersk fisk til nonsmat. Ellers brukte Anna og Rise litt tid på å vaske melkebua grundig mens Torodd og Viljar ryddet i vedskålen. Men den siste dagen de var sammen, satt de lenge på grasbakken bak sætra og pratet om løst og fast.

– Skal vi ikke ta en blås for søster di og mannen? foreslo Torodd muntert. – Det er hjelma lenge siden vi har prøvd bukkehornene. Rise spratt opp og fant fram bukkehornet sitt med det samme, mens Torodd stilte seg opp på en stor stein. Rise fant en rabbe litt unna de andre, for bukkehornlyden var best å lytte til når den ikke var for nær.

Etter noen prøvende toner falt de inn i en melodi som de kunne godt, og myke toner smøg seg over den vesle sætergrenda. Dette merkelige instrumentet som *kunne* lage forferdelige lyder, det kunne sannelig skape snille harmonier og dempet vellyd også. Budeiene i området rettet ryggen og tørket hendene på forkleet mens de smilte. Det var artig å høre på når ekteparet fra Øvre spilte bukkehorn sammen. Og Rise og Torodd visste at det var en spesiell klang som fylte ørene til randen, derfor holdt de aldri på for lenge. Denne dagen bar

167

lyden helt til Knatten, og barna der borte lyttet like ivrig til konserten som de voksne.

– Dere må spille oftere, formante Anna da søsteren senket bukkehornet. – Dere er veldig flinke, og jeg er sikker på at det er mange som liker å høre på.

– Eller mange som skvetter himmelhøyt og nesten får hjertestans, lo Torodd. – Selv om det ikke er like voldsom lyd i bukkehornet som i en lur, bærer tonene langt når vi blåser hardt.

Rise humret og var fornøyd med spillet, og før hun satte seg sammen med de andre igjen, plukket hun en stor bukett hvite blomster. Det var de siste bukkeblomene som var igjen rundt sætra, for alle andre hadde blomstret av for lengst. Nå så de bare ut som en samling strie barberkoster.

– Husker du hvor mange fine blomsterkranser vi flettet da vi bodde på Knatten? sa Rise og dumpet ned på grasbakken, som var full av gule, smørblanke soleier. Hun begynte å sette mogopene sammen til en tett krans. – Det var du som lærte meg det, Anna.

– Og vi gikk langt for å finne fine blomster. En gang tror jeg det hang fjorten blomsterkranser på fjøsveggen, lo Anna. – Jeg ser at du fortsatt kan kunsten.

– Og jeg ser at du er omsvermet. Rise nikket mot håndbaken til Anna, der en blå sommerfugl landet.

– Du klarte alltid å lokke til deg sommerfugler, du. Rundt meg svermet bare myggen og hestebremsen.

– Det kom av at du bestandig skulle fange dem for å se nærmere på fargene. Ikke rart at de kom til meg.

– Da er det rarere at det henger to ørner over hodet vårt, avbrøt Viljar og stirret opp i lufta. – Tror de kanskje at vi er et godt måltid?

Rise la fra seg kransen og stirret mot himmelen. Det var lenge siden hun hadde sett de store fuglene, men nå var de der. To ørner svingte seg sakte rundt mot en knallblå himmel, og de holdt samme høyde.

– Det ser ut som om de også har en fridag, mumlet Torodd. – De ligger jo bare og flyter på luftstrømmene, helt uvirksomme.

– Så er de nok mette, mente Viljar. – Det er godt nytt for alle harer og mus i området.

– Eller de saumfarer bakken med blikket og er klare til å stupe ned på kort varsel, ertet Anna og blunket til ektemannen. Hun var ikke like opptatt av ørnene som Rise. – Pass på så den ikke tar feil av hånden din og en fersk kjøttbit …

Rise hørte hvordan de andre spøkte og lo, og hun moret seg over søsterens kjappe bemerkning. Selv myste hun bare alvorlig mot himmelen og fulgte de knapt synlige vingeslagene der oppe. Ja, hun var glad for å se fuglene, men det var også noe advarende ved dette synet i dag. De litt tungsindige vingeslagene bar et bud i seg, men hun visste ikke hva det var. Hun visste bare at hun ble fylt av en tomhet, en indre uro. Da fuglene til slutt sirklet tre ganger over dem og forsvant innover Leirdalen, trakk hun pusten dypt og grep blomsterkransen ...

9

Like etter konfirmasjonen til Svein Ulrik kom det brev
fra Liv. Rise var spent på å høre hvordan den første
tiden i byen hadde vært, og hun leste høyt for Torodd
samme kveld. Liv var full av begeistring og lovord om
familien hun bodde hos, og hun hadde fått et stort og
lyst værelse med en god seng og et stort bord. Husarbei-
det var lett, og hun fikk rikelig med tid til å gjøre lek-
ser.

– Jeg tror hun kommer til å bli flink i språk, sa Rise.
– Hør bare hva hun skriver.

*Lærerinnen roser meg for god uttale, og vi snakker
bare sammen på engelsk. Hun kommer stadig med nye,
engelske romaner som hun mener jeg bør lese, og jeg
merker at det gir god trening. Litt senere i høst skal
jeg undervises sammen med tre andre. Da blir det flere
som kan føre samtaler, og jeg gleder meg til det. Hvis*

jeg fortsetter å lære like fort som nå, mener frøken Alm
at jeg bør få undervisning av en lærer ved Katedralsko-
len. Han skal være den beste læreren i byen.

– Er det ikke bare gutter som går på Trondhjem kate-
dralskole? spurte Torodd ertende. Men det var alvor i
øyekroken.

– Hun skriver ikke at hun skal gå på skolen, men at
en av lærerne der skal undervise henne. Jeg tror hun
er heldig som får så god oppfølging. Rise overhørte det
lille snevet av bebreidelse i stemmen til husbonden, og
leste videre.

Ellers er Trondhjem en trivelig by, men jeg har ikke
hatt så mye tid til å se meg om. Det blir nok bedre når
jeg blir kjent med et par andre jenter som leser samme
fag som guttene på Katedralskolen. Om et par år håper
de at alle ved skolen skal få ta examen artium der, for i
dag må de avlegge prøven ved Det kongelige Frederiks
Universitet i Christiania. Kanskje jeg også kommer til
å ta undervisning i flere fag.

– Det høres ut som om hun har fått smaken på kunn-
skap, sa Rise fornøyd. – Jenta har evner, og hun skal få
lov til å gå på alle de skolene hun vil. Når Stortinget i
år har bestemt at også kvinner skal få avlegge examen

artium, kan det ikke vare lenge før de får studere ved universitetet.

– Det kan i det minste åpne noen muligheter for Øyvor, mente Torodd. Han var ikke like opptatt av muligheten for utdannelse som Rise. – For Liv er det vel litt for sent.

– Vi får se. Rise brettet sammen brevet og var glad for at jenta hadde det bra. På veien mot lærerinneyrket skadet det ikke om Liv studerte flere fag, slik at hun ble flink i mer enn språk.

– Jeg skal skrive tilbake og fortelle at Svein Ulrik kom seg greit gjennom konfirmasjonen, humret Rise og snakket seg bort fra spørsmålet om utdanningen for jenter. – Liv var litt usikker på om han hadde lest nok til å klare seg. Men jeg venter litt med å fortelle henne om bergensplanene hans. I løpet av vinteren kan han jo komme på andre tanker.

– Du kan fortelle at Svein Ulrik og jeg skal på reinjakt sammen med Jo i høst, foreslo Torodd. – Det er ikke mer enn et par uker til vi drar innover fjellet, og det blir guttens første jakttur.

– Det skal jeg. Rise reiste seg og stanset bak stolen til husbonden. Der strøk hun ham over nakken og masserte skuldrene mens hun la kinnet mot hodet hans.

– Det er veldig snilt av deg å ta gutten med på jakt, og jeg vet at han gleder seg. Kanskje han får mer lyst på fjell og jakt og gårdsdrift enn handelsvirksomhet i Bergen.

– Det er ikke godt å si, men *jeg* gleder meg i hvert fall. Det er noen år siden jeg var ei hel uke på jakt. Torodd grep hendene til Rise og holdt fast. – Men jeg kommer til å savne kona mi.

– Å nei, du. Du kommer til å nyte hvert sekund borte fra gården. Rise lo lavt og prøvde halvhjertet å vri seg løs fra grepet, men bygdas sterkeste holdt fast. – Og nå … hva vil du nå, da?

– Det skal jeg fortelle deg … Torodd kom seg opp av stolen og fanget Rise i et jerngrep. Så bøyde han seg ned og lukket munnen hennes med et langt og heftig kyss. Da han til slutt løftet hodet, måtte begge gispe etter luft før de brast i latter og gikk ovenpå.

Den natten hørtes knirking og lav prat fra kammerset til nærmere morgengry. Rise var ikke bare bekymret for barnas framtid, det var noe annet urovekkende som også gnagde i henne, og da var det fint å kunne prate med husbonden. Helt siden de så ørnene i sommer, hadde hun følt en indre tomhet, en uro og en slags ubestemmelig sorg. Følelser hun ikke klarte å finne ut av. Selv om hun hadde studert kaffegruten titt og ofte, fikk hun ingen klare syner, og det bekymret henne enda mer. For det var gjerne slik at hun hadde vanskelig for å se hendelser som gjaldt henne selv eller de aller nærmeste. Som regel kom varslene, men da var det ofte i seneste laget …

– Det er ingenting du kan gjøre når du ikke vet hva uroen skyldes, sa Torodd dagen før han dro på jakt.
– Tror du at det kan skje en ulykke på jaktturen?
– Nei. Svaret kom så bestemt at han skjønte at uroen hennes ikke gjaldt ham selv eller Svein Ulrik.
– Da må du bare vente. Kan hende det du uroer deg for, glir over.
– Vi får håpe det. Lov meg i alle fall at du lærer gutten å håndtere våpen på en trygg måte. Jeg er sikker på at dere får en trivelig mannfolktur, og at dere kommer hjem med masse godt kjøtt.
– Jepp. Det skal vi. Når Jo er med, blir det neppe bomtur. Du kan bare forberede deg på å ta imot storslakt, for vi går jo bare etter de største bukkene. Torodd lo og kløp Rise i kinnet. – Vi skal gjøre så godt vi kan. Lover.

Da Rise dagen etter så husbonden og sønnen av gårde, var hun bare glad. Svein Ulrik satt rakrygget og voksent i salen, og han var stolt over å ha egen børse i oppakningen. Denne jaktturen kom han til å like …

Mens karene var i jaktfjellet, stablet Rise honningkrukker, tørket og syltet epler, tok imot fisketønner fra Skjolden og så etter at veverskene gjorde alt riktig. Det kom stadig folk innom gården for å kjøpe av varene, og hun forlangte ikke samme betaling av alle. Når Heidrun Os eller den sjølgode Stein Øygarden kom for å handle, måtte de betale det hun selv kalte full pris. Hun visste godt hvem som hadde skilling, og hvem som strevde med å få endene til å møtes. Skomakeren fikk fisken billigere enn snekkeren, men skredderen fikk den billigst av alle. Han hadde åtte unger og strevde med å få endene til å møtes. Sånn kunne Rise gjøre forskjell på folk med god samvittighet, og aldri hørte hun at noen klaget. En dag kom Julius med pukkelryggen den lange veien fra øverst i Visdalen. Han hostet og snufset og ville gjerne kjøpe et par skjeer med honning mot brystverken, men han hadde ikke skilling, bare et enkelt skinn av røyskatt.

– Det er lenge siden jeg har sett deg, Julius. Rise pakket ned noen epler og fant fram ei krukke med honning. – Hvordan går det der oppe i fjellet?

– Det ble litt skralt med kantofler i år, og frosten tok den vesle lappen med korn. Men jeg har nok brensel, så jeg fryser ikke. Og jeg har gode venner å snakke med når reinsbukken og hjorten stikker innom på vollen i grålysningen. Da danser hjertet som en sommerfugl, og det synger i sjelen.

– Du mangler bare litt å spise, da? Rise så undersøkende på den gamle kroken. Julius tusket nok til seg

176

litt ved fra annenmanns skog, og han jaktet småvilt der han kom til, men det var ingen som brydde seg. Så lenge han ikke plaget noen, var det heller ingen som klaget.

– Nå ja. Litt hare og rype blir det. Og for et par dager siden kom det tre greie karer forbi stugu. De skulle jakte rein og hadde godt med niste i sekkene. Julius blunket med rennende øyne. – Husbonden din var sammen med Jo og en ung gutt, og de la igjen både skinke og lefse hos meg. Påstod at de hadde så altfor tung bør.

– Det kan stemme, det. Agnes sender alltid med rikelig med nistemat når karene skal i fjellet. Rise fylte en liten hit med korn og pakket inn en klump smør. I tillegg hentet hun et stykke speket kjøtt, som hun surret i et klede. – Har du sekk?

– Ja, den er alltid med i tilfelle jeg finner kvist og annet brensel på veien.

– Så får du plass til mer enn to skjeer honning, da måta.

– Men jeg kan ikke betale …

– Du har allerede betalt, varte Rise rolig. – Ordene dine om reinen og hjorten er betaling nok. Det var vakkert sagt.

– Du er snill, du, Rise. Jeg har ikke glemt at du og Edvin ofte hjalp meg med å dra brensel fram på vollen, og da gav du meg alltid litt av nista di. Torodd er like raus. Han går aldri forbi uten å se innom og spørre om jeg trenger hjelp til noe. Sånne som dere fortjener mer enn en malt krukke.

– Julius! Rise frøs bevegelsene og stirret overrasket på den gamle kroken. – Er den blå potpurrikrukka fra deg? Den Torodd og jeg fikk til bryllupet?

– Jeg ville så gjerne gi dere noe fordi dere alltid har vært så greie. Det var jo ikke noen kostbar glasskrukke …

– Den er nydelig, og den står i godstugu full av tørkede roseblader. Men jeg har grublet meg grønn over hvor den kom fra. Ingen så at den ble satt på bordet.

– Jeg fikk en liten pyrild til å snike seg inn med den, lo Julius. – Guttungen var flink, han.

– Tusen takk! Endelig ble mysteriet løst, så nå kan jeg sove godt om natten igjen. Rise så på at karen snørte igjen sekken, og spurte om han skulle hjem med det samme.

– Ja. Det blir tidlig mørkt, så jeg må komme meg i vei. Det går ikke like fort oppover som nedover, vet du.

– Jeg skal be Morten om å kjøre deg et stykke med den vesle arbeidskjerra. Han skal likevel låne hesten bort til Krokstugu, så han kan dra deg opp de tyngste bakkene.

– Takk, takk, Rise. Det er rent for mye, men …

– Hesten har godt av å bruke litt krefter, og Morten liker å være hestekar. Bare hold deg fast så du ikke ramler av.

Julius humret, hostet og takket for alt han hadde fått. Han skulle suge lenge på det spekekjøttet. Helt til jul.

Det ble mye godt reinsdyrkjøtt på Øvre denne høsten. Karene kom tilbake fra jaktturen etter åtte dager, og da gikk de til fots mens hestene bar slaktet. Svein Ulrik hadde skutt to dyr, og han var stolt som en hane, akkurat slik Jo var den første gangen Rise tok ham med på jakt. Hun så på gutten at dette var noe han likte, og hun håpet i det stille at han ble mer knyttet til gården etter denne opplevelsen. Ellers hadde både Jo og Torodd fått flere bukker, og det ble mange, nye skinn å berede.

Den ubestemmelige uroen som Rise bar på, slapp ikke taket, men den bleknet litt i all travelheten fram mot jul. I år skulle Aksel og Tuva og barna være på Øvre julekvelden, og Rise gledet seg til å ha skolelæreren ved bordet. Han pleide alltid å ha noe spennende å berette, og på selveste julekvelden hadde han sikkert noen nye julefortellinger å dele med dem.

Gaver og hilsener var sendt av sted til Trondhjem og Lillehammer i god tid, og gården sydet av forventning. Ungene stakk hodene sammen og hadde hemmeligheter. Karene smakte på ølet og nikket tilfreds.

Agnes gned seg fornøyd i hendene hver gang hun så seg om i aurbua og i stabburet, og gårdsfolkene gjorde seg ekstra flid med vask av gulv og pussing av seletøy. Da snøen kom i store, lette flak og lagde myke dyner rundt novene en uke før julekvelden, var alt fullgodt, og høytiden kunne komme.

På Lillehammer var det også travle dager før jul, men i fru Iversen-huset klarte Elsa med det meste på kjøkkenet, og en pike sørget for rengjøring av huset, så Anna hadde god hjelp. Yngstebarnet, Marit Sofie på fjorten, hjalp også til med juleforberedelsene, og alt så lyst ut til et par dager før julekvelden, da Anna en natt våknet av lyder på barneværelset.

– Det er Marit Sofie, hvisket hun og slo teppet til side. – Hun kaster opp.

– Unger, mumlet Viljar i halvsøvne, men han våknet fort da Anna kom løpende tilbake og bad ham om å koke opp vann. Jenta var blek om munnen og glovarm i pannen og klagde over at det gjorde vondt i hele kroppen.

– Dette er ikke en vanlig farang, sa Anna. – Jenta er virkelig låk.

– Unger blir fort sjuke og fort friske, gjespet Viljar. – Dette kom jo veldig brått på, så det gir seg sikkert i løpet av morgendagen.

180

– Unger, hermet Anna. – Jenta er fjorten år og snart konfirmant. Hun er ikke en barnunge lenger.

Viljar svarte ikke, men skyndte seg ned for å koke vann. Storm og Vårin hadde flyttet for seg selv, og det var bare Torolf og Marit Sofie som fortsatt bodde hjemme. Alle ungene hadde vært velsignet med god helse, og det hadde væt lite sjukdom i hjemmet. Nå håpet han at dette bare var en uskyldig farang som gikk fort over.

Men da Viljar litt etter kom opp med varmt vann, ble han betenkt. Jenta ynket seg, og kaldsvetten perlet i pannen. Kroppen var varm som en glassbrennerovn, og hun snakket over seg.

– Vi trenger frisk luft, sa han og åpnet vinduet på gløtt mens Anna skiftet sengetøy og vasket. – Det får ikke hjelpe om det er snøvær og kulde utenfor. Denne lukta er jo nok til å gjøre alle låke.

Anna ville helst ikke at det skulle bli kaldt i rommet, men hun måtte gi ektemannen rett. Ingen hadde godt av å puste inn den sure eimen av oppkast. Heldigvis tok det ikke lang tid før lufta i rommet ble sunnere, og de kunne lukke vinduet og sette seg ved sengekanten.

Viljar vred opp en klut i lunkent vann og tørket ansiktet til datteren mens han snakket rolig til henne. Men jenta bare virret med hodet og stønnet svakt som om hun var i en annen verden. Han hadde aldri før sett henne slik, og med ett forstod han at dette kunne være alvorlig.

– Kjenner vi andre som har vært sjuke? Anna prøvde å tenke over hvem de hadde vært sammen med den siste tiden. – Jeg har hørt om flere barn som har fått tæring ... Bare ordet var nok til å skape frykt, og hun hvisket det fram mellom tørre lepper.

– Du må ikke tenke slik, Anna. Viljar strøk kona si over det utslåtte håret og sukket. – Jenta har ikke hostet eller vist andre tegn på sjukdom. Dette er noe annet. Han kunne lagt til at det var Anna selv som hadde slitt med en langvarig hoste, men lot være. Dessuten hadde hun ikke hostet noe særlig etter at de kom hjem fra Bøverdalen i sommer. – Hun er nok bare kraftig krimsjuk.

– Da skal jeg prøve å få i henne en drikk av sisselrot og noen dråper Theriac. Anna fant fram flasken hun hadde fått av doktoren for en stund siden. Theriac stod det utenpå, og det var en medisin som skulle hjelpe mot mange forskjellige plager. – Vil du sitte her mens jeg ordner med urtene?

Viljar gjespet og nikket. Utenfor stanget desembermørket tungt mot ruta, og selv om han visste at det snødde lett, kunne han ikke se annet enn noen hvite fjon på vindusbrettet. Natten var på sitt aller mørkeste, og tankene hans var ikke stort lysere da han løftet blikket og så sin egen skygge tårne seg opp på veggen over senga. Brått kom det for ham at det var selveste mørkemannen som strakte armene ut etter Marit Sofie.

– Tøv, hvisket Viljar til seg selv og flyttet lampa til et annet bord. – Dette går bra. Han var fortsatt forvirret over at sjukdommen hadde kommet så brått på, og han klarte ikke å tro at den skulle være livstruende.

– Gå og legg deg, bad Anna da hun kom tilbake og de hadde fått lurt i datteren noen skjeer med drikke. – Jeg sitter hos henne. Hvis hun sover rolig gjennom natten, får vi håpe at feberen slipper taket.

– Lov meg at du sier ifra om du blir mer urolig. Da sender vi bud på doktoren med det samme. Viljar visste at det var nytteløst å be Anna om å legge seg, for hun ville likevel ikke få blund på øynene. Det var bedre at *han* hvilte, så var i det minste én av dem våken neste dag.

– Jenta vår. Han strøk Marit Sofie over kinnet og klemte den slappe hånden hennes. – Nå må du hente fram alt du har av styrke, for du har mange spennende år framfor deg. Viljar kysset Anna og tuslet tilbake til soverommet. Hvis han bare fikk sove en liten stund, skulle han være fornøyd.

Med jevne mellomrom prøvde Anna å få litt drikke i Marit Sofie. Hun løftet hodet til datteren og lurte teskjeer med væske inn mellom leppene hennes. Det

183

føltes som en liten seier hver gang jenta svelget, men det meste av drikken rant nedover halsen og måtte tørkes bort.

– Kjære Gud, bad Anna gjennom natten. – Ikke ta fra oss Marit Sofie. Vi har ingen barn å miste. Et stikk av dårlig samvittighet stakk i bringa da hun tenkte på alle dem som *hadde* mistet barn i sjukdom, og hun fortsatte: – Jeg vet at mange har fulgt barna sine til graven, og *vi* har ikke større krav på å få beholde datteren vår enn andre. Men … Anna foldet hendene så hardt at knokene hvitnet, og lukket øynene hardt … – ikke ta henne. Vær så snill, Gud …

Lille julaften var det stille i fru Iversen-huset. Elsa puslet nesten lydløst på kjøkkenet, og piken hadde fått fri. Feberen herjet fortsatt i kroppen til Marit Sofie, og selv om hun klarte å svelge litt drikke utover dagen, hentet Viljar doktor Willumsen. Men det var lite doktoren kunne gjøre annet enn å fastslå at dette ikke hadde noe med tæring å gjøre. Jenta hadde nok fått en kraftig krimsjuke, og det var viktig å holde henne varm og tørr, slik at det ikke utviklet seg til lungebrann.

Viljar og Anna byttet på å sitte ved senga til datteren hele dagen og hele neste natt, og langsomt slapp redselen taket i dem. Da Marit Sofie selv bad om å få litt kald drikke på julaften formiddag, skjønte de at dette kunne gå bra, og Anna gav beskjed til Elsa om at hun skulle dekke bordet og gjøre i stand til julemåltid som planlagt. Når alt var klart, kunne kokka ta fri. Den største bekymringen for Anna og Viljar nå var at noen av de andre barna skulle bli smittet, men ingen av barna ville holde jul utenfor fru Iversen-huset.

– Det er sjuke folk overalt, sa Storm. – Vi kan like gjerne bli smittet midt i Storgata. Og nå er jo Marit Sofie mye bedre. Vi blir her.

Det var en dempet stemning rundt bordet til glassmesteren denne jula. Dempet, men lettet. Storm, Vårin og Torolf var pyntet til høytid, og sammen med foreldrene hygget de seg med måltidet. De to eldste satte ekstra stor pris på å komme til dekket bord, for etter at de hadde flyttet fra barndomshjemmet, måtte de pent klare med maten selv. Men alle syntes synd på lillesøsteren, som ikke orket å smake på julematen.

– Det er da gledelig at hun orker å sitte i senga, sa Viljar muntert. Marit Sofie var støttet opp med puter og halvveis satt, halvveis lå og slumret inne på rommet. Dørene stod på vidt gap slik at hun kunne høre praten rundt bordet, men alt hun hadde lyst på, var kald drikke.

– Ja, det hadde jeg ikke trodd for et par dager siden, sukket Anna. – Dette må være Herrens julegave til oss.

– Jeg skjønner meg ikke på den karen, sa Storm oppgitt og la fra seg bestikket. Han var tjue år og den som alle søsknene så opp til. – Først kaster han sjukdom på henne, og etterpå skal vi takke ham for *gaven*. Det er ikke noe fornuft i det.

– Kanskje vi trengte en påminnelse om at livet er skjørt, svarte Anna. Det hender vel at vi står opp om morgenen og tar den nye dagen for gitt.

– Derfor må noen lide seg gjennom streng sykdom midt i høytiden? Storm ristet på hodet. – Det er jo meningsløst. Men hvis det ikke er Gud som styrer med alt, da …

– Hm. Viljar kremtet og så mildt på sønnen. – Kanskje vi skal la noen av de tankene få hvile i kveld? Jeg foreslår heller at vi går inn til Marit Sofie og ønsker glædelig jul. Skal vi be takkebønn for maten?

Anna smilte til Storm under bønnen, og hun var glad for at gutten oppførte seg voksent. De hadde hatt mange ordvekslinger om dette med tro og kirkegang tidligere, og hun visste at han var en tviler. Storm hadde vanskelig for å godta det som ikke kunne forklares med ren fornuft. Men han ville ikke ødelegge julekvelden for noen, og han smilte lurt tilbake og formet leppene til en hilsen: *God jul.*

Marit Sofie frisknet til, men det tok tid før hun var helt seg selv igjen. Da Karoline kom på besøk en av de første dagene i 1883, var jenta fortsatt slapp og blek, men i godt humør. Karoline hadde holdt jul hos eldstesønnen i Kristiania, og det hadde vært noen trivelige dager sammen med barn og barnebarn.

– Barnebarna gikk på skøyter sammen med foreldrene, og du verden så flinke de var. Det var virkelig artig å se hvordan de svingte seg, men så var isen særdeles glatt og fin også.

– Vi har vel ikke så mange steder på Lillehammer der isen blir riktig fin om vinteren, lurte Anna. – Kanskje Vingnesvika er det beste stedet.

– Der har i hvert fall guttene mine gått mye på skøyter. Men det ble en brå slutt på uteleken i Kristiania, forklarte Karoline med et geip. – Svigerdatter og det yngste barnebarnet ble sjuke før jeg reiste hjem. De hadde nok kledd seg for dårlig i kulda. Kanskje det var tilfellet med Marit Sofie også?

– Kanskje. Nå sørger hun i alle fall for å ha nok klær på seg. Har du forresten hørt noe fra Liv? Anna mente det ville være rart om hun ikke nevnte Liv, men egentlig visste hun det meste fra julebrevet hun hadde fått av Rise.

– Å ja. Jeg fikk et langt brev før jul der hun fortalte om livet i Trondhjem. Karoline lyste opp ved tankene på datteren. – Hun trives visst i byen, og dette året får hun språkundervisning. Jeg er veldig takknemlig for at Liv vil skrive til meg.

– Det er godt å vite at ungene klarer seg og har det fint, samtykket Anna. – Liv blir nok en god lærerinne.

Da Karoline til slutt takket for seg og ville hjem, skuttet hun seg idet de kom ut i hallen. – Huff, jeg føler meg ikke helt i form. Kroppen er tung som en tømmerstokk, og det verker i hodet. Det er best å knytte skjerfet godt rundt halsen.

– Jeg får håpe at du ikke er blitt smittet av familien i Kristiania, sa Anna. – Ta deg en varm kopp melk med honning før du legger deg.

– Ja. Jeg har honning. Om ikke annet så sovner jeg kanskje godt. Takk for praten, Anna. Og hils Viljar.

Så snart Anna hadde lukket døra bak venninnen, skyndte hun seg inn på kjøkkenet og lagde en kopp sterk urtete til seg selv. Dette huset trengte ingen flere runder med sjukdom nå …

10

Men urtene hjalp ikke Anna denne gangen. Tre dager etter at Karoline hadde vært på besøk, kom hodeverken, og så tyknet halsen. Til å begynne med ville hun ikke innrømme at det var vondt å svelge, eller at matlysten ble borte. Hun drakk te, melk og eplesaft. Spiste honning og satte føttene i varmt vann når ingen så henne. Men hun følte seg bare mer og mer elendig, og en morgen klarte hun ikke å stå opp av senga.

– I dag blir jeg nok her, stønnet hun da Viljar gjorde seg klar til å dra på arbeid. – Hodet og halsen er som en eneste stor verkebyll.

– Du gløder. Viljar la en hånd på pannen hennes og ristet på hodet. – Jeg varsler Elsa, så ser hun til deg iblant. Du må huske å drikke, da.

– Det eneste jeg vil, er å sove. Sove bort styggedommen og bli frisk.

– Jeg vedder på at det er Karoline som har smittet deg. Det har gått for lang tid siden Marit Sofie var låk. Viljar tenkte ikke annet enn at Anna trengte et par dager med hvile, så ville hun friskne til.

– Det kan være det samme. Folk er låke overalt, hvisket Anna og ønsket at Viljar skulle slutte å prate. – Det går over.

– Sikkert. Viljar bøyde seg ned mot senga en siste gang før han gikk. – Ikke glem at glassmesteren elsker deg, da.

Anna smilte og falt inn i en svimlende døs så snart døra lukket seg. Håret lå klistret til hodet og fløt i tjafser utover puta. Svetten silte, men iblant våknet hun av at hun frøs, og huden nuppet seg før den igjen begynte å koke. Det var lenge siden frua til glassmesteren hadde vært så låk.

Hele dagen gikk Anna ut og inn av søvnen, og hun oppfattet ikke at Elsa og Marit Sofie var inne hos henne flere ganger og fikk henne til å drikke.

– Det er min skyld, hvisket jenta og gav moren drikke fra skje. – Det er jeg som har smittet deg, men det går fint. Det går over, mamma.

Men nede på kjøkkenet snakket Elsa strengt til husets datter. Hun forstod nok hva ungdommen tenkte, og *den* tanken måtte ikke få feste seg.

– Hør her, sa kokka bestemt. – Mange snakker om

at krimsjuke smitter lett, men det er lenge siden du var sjuk, og dette har ingenting med deg å gjøre. Verken far din, bror din eller jeg har fått sjuka som du hadde, så dette kommer ikke fra deg. Skjønner du?

– Ja, men …

– Ikke noe *men*. Anna er blitt sjuk, og det ville hun blitt selv om du hadde vært frisk i jula. Dette er *ikke* din skyld, basta.

– Nei vel. Det er mange på skolen som er sjuke også. Vesle-Emma har ikke vært på skolen i det hele tatt etter jul.

– Ikke bra. Men når en først har vært sjuk, så blir en det ikke igjen med det første, har jeg hørt. Det betyr at *du* er trygg.

– Og snart er mamma trygg også. Hun må bare få varmen ut av kroppen.

Marit Sofie var glad da faren kom tidlig hjem den kvelden og de kunne spise middag sammen. Torolf spiste på hotellet, noe han ofte gjorde når han måtte arbeide sent. I disse dagene mistenkte hun broren for å ta på seg ekstraarbeid utover kvelden, for han likte ikke at moren var sjuk.

– Gjør lekser eller sy litt eller les ei bok, foreslo Viljar. – Jeg skal se til mamma i kveld. Du trenger ikke å sitte hos henne.

– Tror du at det er *jeg* som har smittet henne? Marit

Sofie snakket lavt så Elsa ikke skulle høre. – At det er min skyld?

– Salte min hatt for en tanke, sa Viljar lett og slo armene om datteren. – Du har jo vært frisk lenge. Dette har ikke noe med deg å gjøre.

– Det samme sa Elsa, men jeg tenker at det må være en sammenheng.

– Du skal lytte til voksne folk, formante Viljar. – Nå er vi to som har sagt det samme, og da er det virkelig grunn til å stole på oss. Lov meg at du ikke går rundt og tenker sånne dumme tanker. Han holdt Marit Sofie ut fra seg og smilte. – Om et par dager er mamma bedre, og da skal vi feire med vaffelkaker. Avtale?

– Avtale. Marit Sofie smilte tilbake og gav faren en klem, før hun gikk inn på rommet sitt. Hun ville skrive et dikt til moren. En sang.

Viljar sørget for drikke og fuktige kluter på pannen til Anna. Han masserte armene og føttene hennes, satt ved senga og småpratet og sørget for frisk luft. Han håpet at han selv skulle slippe unna uten å bli sjuk, men det var mange i byen som lå under dyna i disse dager, og ingen visste hvem som ville bli den neste. De minste barna ble ofte hardt rammet, og denne vinteren var det mange små kister som ble ført til leggplassen. De merket det på verkstedet, for mange ville ha en glassfugl eller en glassengel sammen med korset på graven, og det var Storm og Poppe som fikk oppgaven med å lage disse.

– Nå går vi mot vår og sommer, tenkte Viljar høyt. Anna glippet med øynene; kanskje hørte hun hva han sa. – Hvis du har lyst, skal vi ta en tur til Øvre. Vi rekker det selv om Marit Sofie skal stå for presten denne høsten.

Et svakt smil kruset leppene til Anna, men det kom ikke en lyd fra henne, og Viljar håpet at hun drømte om sist sommer, da de hadde det fint sammen med Rise og Torodd. Den beste medisinen var om hun kunne sove seg gjennom timene og fylle dem med gode drømmer og minner.

Anna lå i en døs i flere dager, og bare en sjelden gang var hun så våken at hun svarte klart på spørsmål. Men hun smilte og famlet etter hånden til Marit Sofie når jenta sang for henne og fortalte fra skoledagen. Det beroliget Viljar, for det tydet på at Anna fulgte med på det som skjedde rundt senga. Men det tok tid før hun kunne sitte oppreist.

– Nå er det nesten gått to uker siden Anna ble sjuk, sa Elsa en dag. – Fortsatt orker hun ikke å stå opp. Skal du ikke hente doktoren hit? Kokka så bekymret på glassmesteren, som spiste morgenmat på kjøkkenet. Viljar var trett og sliten, for han hadde ikke sovet én natt sammenhengende på aldri så lenge. Nå strøk han hånden gjennom håret og nikket.

– Jo. Det er på tide at Willumsen ser til henne. Jeg liker ikke den hosten hun har fått de siste dagene, og kroppen hennes er fortsatt altfor varm. Men hva kan han gjøre? Han er ingen mirakelmann.

For første gang virket Viljar oppgitt og motløs, og Elsa hadde inderlig vondt av ham. Nå håpet hun bare at han selv holdt seg frisk. For sin egen del bekymret hun seg ikke. Hun hadde god helse og var sterk som en bjørn, og hele livet hadde sjukdom prellet av på henne. Sånn måtte det være nå også, mente hun.

– Jeg skal ta imot doktoren hvis han kommer i løpet av dagen, lovet kokka. – Det kan hende han har noe som kan dempe hosten hennes litt.

Viljar takket for maten og nikket. Han var glad for at de hadde Elsa, for nå tok hun over styre og stell i huset. Kanskje skulle han ha tilkalt doktoren tidligere, tenkte han da han trakk lua god nedover ørene og knyttet skjerfet tett om halsen. Men krimsjuke og brystvondt var plager som måtte lege seg selv, så han hadde håpet at Anna ville riste av seg elendigheten ganske snart. Nå begynte han imidlertid å bli bekymret.

På vei til verkstedet kjørte han innom doktoren. Willumsen lovet å besøke Anna i løpet av dagen, men han sa samtidig at det var mange som slet med slik sjuke nå, og det kunne ta lang tid før kroppen kom seg.

– Det beste rådet jeg kan gi, er at pasienten får nok hvile og tar tiden til hjelp. Stell bare pent med Anna og vær tålmodig, beroliget doktoren. – Hun har ennå ikke fylt førti, så hun klarer nok å stå imot.

Viljar takket og tenkte med et skuldertrekk at det egentlig var *han* som var i faresonen. Han fylte snart 45 år, og kunne visst ikke regne med å *stå imot* sjukdom på samme måte som dem under førti. Men nå hadde han slett ikke tenkt å bli sjuk, så dette var bare bortkastede tanker. Han fikk heller glede seg over at alle karene på verkstedet var friske.

Men da Viljar kom hjem den dagen, fikk han en utrivelig beskjed av Elsa. Doktoren hadde vært på besøk, og han mente at Anna hadde fått lungebrann.

– Hun må ha absolutt hvile, sitte høyt i senga for å lette pusten, drikke godt og ta dråpene som han satte igjen. Han anbefalte også en liten skje med cognac i ny og ne. Elsa tok frakken til Viljar og ristet den fri for snø, før hun hengte den opp. – Jeg har satt en bøtte med lokk ved senga, slik at hun kan kvitte seg med slimet som hun hoster opp.

– Du er snill, Elsa. Tusen takk. Jeg tror sannelig vi begynner med cognacen, både Anna og jeg. Han sendte

195

kokka et matt smil før han gikk opp trappa til soveværelset.

– Dette går bra, Viljar. Jeg må bare hvile noen dager til. Snart er jeg oppe og danser i gangene. Anna avbrøt seg selv med en hosteri, men Viljar ble oppmuntret av den spøkefulle tonen. Hun virket mye kvikkere nå enn da han gikk fra henne tidligere i dag.

– Klart det går bra. Han kysset henne på en klam panne og fant fram brennevinsflasken. – Willumsen mente at du burde drikke litt cognac, og nå skal jeg holde deg med selskap. Han helte noen dråper på en skje og hjalp Anna med å drikke. Mens hun skar grimaser og harket, skjenket han i et lite glass til seg selv.

– Skål. Dette er edle, medisinske dråper, så det er ingenting å skape seg for. Han blunket mot Anna og tømte glasset i én slurk. – Kvinner liker ikke cognac, men drikken kan gjøre godt.

– Det vil vise seg. Anna sank slapt ned mot putene og lukket øynene. – Går det bra på verkstedet?

Viljar trakk stolen inntil senga og tok hånden til Anna i sin mens han fortalte noen artige historier om Poppe. Det var første gang på lenge at hun hadde vist interesse for arbeidet hans.

– Nå skal du holde senga og hvile, hvile, hvile. Det har doktoren befalt, avsluttet han. – Du skal bli helt frisk og sterk igjen, og da er altså senga den beste medisinen. Har du forresten spist noe i dag?

– Elsa tvang i meg litt suppe. Det gikk bra. Jeg orker ikke mer nå, så gå bare og spis sammen med Marit Sofie. Hun har vært her ofte i dag. Anna vinket ektemannen muntert ut av rommet, men så snart han var gått ned trappa, hev hun etter pusten, og tårene kom. Hun følte seg elendig, men hun prøvde å ta seg sammen når Viljar eller barna var hos henne. Hun hadde sett bekymringen i øynene deres, og hun hadde ikke lyst til å gjøre dem enda mer engstelige. Nå var det hun selv som følte seg urolig ...

De neste dagene virket det som om Anna kviknet mer og mer til. Hun spiste både grøt og suppe, og selv om hun hostet fælt, klarte hun å spøke og le. Den klamme angsten som hadde hengt over huset, slapp gradvis taket, og Viljar fikk et par netter med god søvn. Han var sikker på at det verste var over nå, og Anna skulle få all den tid hun trengte til å bli sterk igjen. Så snart hun orket og været ble varmere, skulle de gå korte turer i hagen. Litt lengre for hver dag, men likevel korte. Og hvis hun orket den lange reisen til Bøverdalen, skulle han følge henne til fjells og stelle godt for henne. Ved siden av ungene var Anna det aller kjæreste han hadde.

Men det skulle vise seg at Viljar gledet seg litt for

tidlig denne gangen, for en dag han var i verkstedet, kom det bud fra Elsa. Han måtte komme hjem med det samme.

Viljar slapp alt han hadde i hendene, og kjørte så hestevogna dirret i sammenføyningene. Det kunne ikke være noe galt med Anna, tenkte han. Hun hadde jo bare blitt bedre og bedre den siste tiden. Og i dag morges hadde hun kysset ham på kinnet til farvel. Kanskje Torolf eller Vårin var blitt sjuke? Men da han kom til porten, så han at doktorskyssen stod utenfor, og hjertet sank i bringa.

– Anna har falt i uvett, forklarte Elsa da hun møtte ham i døra. – Hun snakker over seg og hiver voldsomt etter pusten.

– Men hun begynte jo å bli frisk. Viljar ville ikke tro det han hørte. – Hun har spist og spøkt og …

– Doktoren er hos henne nå. Jeg syntes det var best å sende bud etter ham.

Viljar tok trappa i lange steg og braste inn på soverommet, der Willumsen var i ferd med å lukke doktorveska. Anna lå stablet opp med et berg av puter, og pusten gikk tungt. Hun var blek med mørke ringer under øynene, men det så ut som om hun sov.

– Det eneste som hjelper på pusten, er at hun ligger høyt med overkroppen. Hjertelyden er svak, og det surkler stygt i lungene. Doktoren snakket med doktorstemmen sin, og det fortalte Viljar hvor alvorlig situasjonen var. – Det hender vi ser bedring før sykdommen tar grep på nytt. Anna er svært dårlig.

– Hun kan vel ikke dø? Viljar grøsset av sitt eget spørsmål og gikk helt bort til senga. Det var vondt å se hvordan Anna strevde med å få puste.

– Vi får håpe at kroppen tåler dette, Viljar. Willumsen la en hånd på skulderen til glassmesteren. – Jeg kan ikke si annet enn at hun er veldig svak nå. Veldig svak …

– Er det ingenting du kan gjøre? Viljar svelget og strevde med å forstå.

– Jeg setter igjen noen dråper som du kan gi henne hvis hun våkner og har mye vondt. De vil gi henne lindring og få henne til å sove. Men ikke mer enn to ganger om dagen. Jeg ser innom igjen i løpet av kvelden.

Hva i helvete skal du se innom for? tenkte Viljar. Et voldsomt raseri blusset i ham, og han fikk lyst til å hive Willumsen ned trappa med hodet først. Doktor. Hva var det å skryte av når han ikke kunne gjøre Anna frisk! Han kunne ikke gjøre *noe* annet enn å *se innom*.

Men da skrittene fra Willumsen fjernet seg, sank Viljar gråtende ned på sengekanten og følte seg maktesløs. Raseriet forsvant like fort som det kom, og tilbake var bare en eltende masse av frykt som drev rundt i mellomgulvet. Bare én gang tidligere hadde han kjent seg så liten og redd, og det var da Anna mistet barnet hun bar på, og holdt på å blø i hjel.

– Anna min. Dette klarer du, hvisket han og grep hånden hennes. – Tenk på alt vi skal gjøre sammen når du blir frisk. Epletrærne i hagen skal snart blomstre, og fuglebadet skal fylles med vann. Jeg skal ordne med ny parasoll så du kan sitte behagelig i skyggen og drikke limonade, og du skal få flere rosebed.

Viljar snakket om alt han trodde at Anna kunne ha glede av, men det eneste svaret han fikk, var en pipende pust. Hånden hennes var slapp og øyelokkene urørlige. Til slutt bøyde han hodet og lot tårene dryppe ned på en hvit nattkjole med kniplingskant. Han kunne ikke hjelpe henne. Denne kampen måtte hun klare selv.

Men Anna viste ingen tegn til bedring utover dagen og kvelden. Marit Sofie og Torolf satt sammen med ham og våket, og selv om han var redd for at de også skulle bli sjuke, var det vanskelig å jage dem bort fra sykesenga.

– Mamma kan ikke bare dø, sa Torolf. Han hadde vanskelig for å skjønne at moren var *så* sjuk. – Tror du ikke at hun blir frisk snart?

– Det *må* vi tro, svarte Viljar stille. – Men det er hennes egen kropp som må kjempe mot feberen og lungebrannen, og hun har vært sjuk lenge. Hun er nok ganske sliten.

– Hvis jeg kunne puste for henne, skulle jeg ha gjort det, sa Marit Sofie gråtkvalt. – Det høres ut som lungene er helt tette.

– Men ansiktet ser rolig ut. Viljar prøvde å finne små lysglimt som kunne muntre dem opp. – Det tyder på at hun ikke har vondt.

– Du må bli frisk, mamma. Vi er jo her og venter på deg. Marit Sofie strøk moren over kinnet og svelget gråten. – Du skal lære meg å sy på maskinen …

Sent på kvelden, etter at barna hadde lagt seg, kom Willumsen tilbake. Han lyttet på brystet til Anna, så på øynene hennes og kjente på pulsen. Viljar fulgte spent med og håpet at doktoren så tegn til bedring. Tegn som han selv ikke fanget opp. Men da han fulgte doktoren ut av værelset og fikk beskjed, ble alt håp brutalt smadret.

– Dette ser ikke bra ut, sa Willumsen og ristet på hodet. – Hjerteslagene er svake og uregelmessige. Anna er inne i en bevisstløs tilstand som jeg ikke vet utfallet av. Det kan gå begge veier.

– Men du tror det verste? Viljar var nummen av sorg og ville helst ikke høre svaret.

– Det finnes mange eksempler på alvorlig syke som henter fram skjulte krefter i siste sekund. Jeg vil ikke spå noe om utfallet, men du bør være forberedt …

Det var en knust mann som fulgte doktoren ut den

kvelden. Erkjennelsen om at Anna var døende, veltet seg i magen, og han skjønte at han burde sende bud til Rise. I full fart skrev han ned en melding og fikk et bud til å oppsøke telegrafstasjonen.

– Iltelegram, beordret han. – Det haster. Så gikk han tilbake til Anna og tok hånden hennes i sin. Slik satt han natten igjennom, og der fant barna ham trett og sorgtung neste morgen.

– Doktoren håper at mamma skal bli bedre. Viljar rensket stemmen, men prøvde ikke lenger å skjule alvoret. – Men han kan ikke love noe. Alt kan skje.

– Mamma, jeg er så glad i deg, hvisket Marit Sofie og gråt åpent. – Du er den beste mammaen i verden. Du må ikke dø. Hun la kinnet mot morens kinn og hulket stille. – Ikke reis fra oss … mamma.

Viljar var blendet av tårer da han fanget datteren i armene og klemte henne fast inntil seg. Og mens Torolf la hånden keitet på morens arm og hvisket noe de ikke hørte, bad han datteren om å være flink og gå på skolen denne dagen også.

– Mamma ville ikke like at du ble hjemme, og kanskje er hun litt bedre når du kommer hjem senere i dag. Jeg skal være her. Hele tiden.

Viljar mente at det var best om datteren gjorde som vanlig, så fikk hun kanskje litt annet å tenke på. Torolf måtte passe arbeidet sitt på hotellet, så han tok raskt farvel så faren ikke skulle se at han gråt. Men Viljar forstod at det var med tungt hjerte og mange urolige tanker at de to yngste barna gikk hjemmefra denne dagen.

– Gå ned og spis morgenmat, befalte Elsa da det ble stille i huset. – Jeg sitter her så lenge. Det er ikke bra for noen om du sulter deg til sjukdom.

Viljar var enig, og det gjorde faktisk godt med litt mat og drikke ved kjøkkenbordet. Tankene klarnet, og han skjønte at han måtte stå oppreist for barna. Hvis utfallet skulle bli det verst tenkelige, trengte de ham mer enn noen gang. Han var voksen og sterk, barna sårbare og famlende. For Anna skulle han holde seg rakrygget og utgjøre en trygghet. *Det* var det minste han kunne gjøre for kona si. Men hun levde fortsatt, og så lenge hun pustet, var det håp.

De to neste dagene svingte humøret fra dyp fortvilelse til forsiktig optimisme. Anna glippet med øynene og hvisket noen ord iblant, men så gled hun inn i døsen igjen. Viljar satt ved senga dag og natt, men han spiste måltidene sammen med barna på kjøkkenet. Der snakket de mye om hva som skjedde på hotellet der Torolf arbeidet, og hva Marit Sofie opplevde på skolen. Alle ønsket at måltidene skulle være så vanlige som mulig, men stolen til Anna gapte tomt mot dem, og alvoret stod skrevet i blikkene. Barna hadde gjort det til en vane å sitte ved senga til moren en stund før leggetid, og både

Storm og Vårin kom innom for å være der. Men ingen protesterte da Viljar mente at de måtte prøve å sove seg gjennom nettene slik at de kom seg på skole og arbeid om dagen.

Den tredje natten etter siste doktorbesøk ble Anna urolig og hev kraftig etter pusten. Viljar løftet henne høyere opp i senga, og snakket rolig til henne. Men brått slo hun opp øynene og så rett på ham. Blikket var uhyggelig klart, og i stedet for å bli glad, kvalte han et hulk.

– Anna, dette klarer du. Kjæreste Anna min, du skal bli frisk.

– Pappa? Anna så spørrende på ektemannen. – Jeg så pappa.

– Du har feber, hvisket Viljar. – Det er meg, Viljar, som er hos deg.

– Ja. Anna smilte. – Pappa var på Knatten. Han var snill.

Viljar svelget og klemte Anna inntil seg. Når han så hvor avslappet hun ble i ansiktet av å tenke på Knatten og far sin, var han glad for at han aldri fortalte henne det doktoren fra Durham hadde innrømmet. For Anna var det Torolf Sveinsson som var den gode faren, og slik skulle det være.

– Dere hadde det godt på Knatten, sa Viljar. Han gjorde plass i senga til seg selv og satte seg ved siden av

Anna. Så tok han henne i armkroken slik at hun kunne hvile hodet mot brystet hans. – Knatten er en fin plass, og vi skal reise dit så ofte du vil.

Anna svarte ikke, men hun smilte og pustet tungt. Kroppen var ikke lenger så varm som tidligere, men kaldsvetten perlet i pannen. Han tørket henne med hånden og la leppene mot det mørke håret. I natt skjulte han ikke tårene, men lot dem renne fritt og væte hans egen skjortekrage og Annas kinn, for han visste det. Han visste at han mistet Anna.

– Pass på barna. Ordene kom tydelig. – Og på deg selv.

– Det lover jeg. Viljar klemte armene om kjæresten sin og knep øynene sammen i fortvilelse. – Jeg elsker deg så veldig, Anna. Sterkere enn fjellet …

– … og … Rise … hvisket Anna før hun falt inn i en dyp søvn der pusten ble svakere, og øyelokkene hvilte tungt.

Viljar slapp ikke taket. Han satt i senga med kjæresten i armkroken og lyttet etter de ujevne åndedragene. Hosten hadde stilnet, og bare en svak surkling var hørbar. Mens timene sneglet seg av sted, følte han at kroppen til Anna ble lettere og lettere, og han tenkte på sommerfuglen som hadde landet på hånden hennes. På spurvene i fuglebadet. På rosene i bedet. På ømheten i blikket når han kom hjem fra verkstedet.

– Du er selv en sommerfugl, sa Viljar grøtet. – Nå må du bruke vingene dine og fly mot den fineste himmelblomsten. Den venter på deg, og én dag ... én dag skal jeg følge etter ...

Mot morgengry trakk Anna pusten en siste, nesten umerkelig, gang mens hun hvilte godt i armene til Viljar. Ansiktet var blekt, men fredfullt, og da hun til slutt pustet ut og forlot ham, kruset leppene seg til et svakt smil. Det var som om *hun* ville trøste ham og si at alt var bra.

Viljar ble sittende med Anna i armene en lang stund og gråte ut. Det var vanskelig å fatte at hun, som for få timer siden snakket til ham og så på ham, aldri mer skulle åpne øynene. Det var tungt, og det åpnet for et bunnløst mørke. Men han hadde lovet henne å ta vare på barna *og* på seg selv, og *det* løftet skulle han holde.

Like før Elsa låste seg inn for å lage morgenmat og ordne med niste, la Viljar Anna pent til rette i senga. Han danderte håret hennes så det lå fint mot skuldrene, og han foldet hendene hennes oppå dyna. I løpet av dagen ville det komme en hjelpekone og stelle henne ordentlig, men han tenkte at barna ville se henne med det samme.

– Du er fortsatt vakker, hvisket Viljar og rettet ryggen. – Den vakreste av alle.

Han skvatt da det banket på soveromsdøra, for han

hadde ikke hørt skritt på utsiden, men han ropte straks et *kom inn*. Selv om det fortsatt var tidlig på morgenen, regnet han med å se ansiktet til Marit Sofie i døra, og han gjorde seg klar til å slå armene om henne. Men det var ikke datteren som kom.

– Rise! Så godt å se deg. Viljar ble oppriktig glad da svigerinnen strøk av seg hatten og kom inn i værelset. Det strålte kulde av klærne hennes, så Elsa hadde nok vist henne rett opp.

– Så kom jeg for sent. Rise gav Viljar en skjelvende klem før hun gikk mot senga. – Jeg kom så fort jeg kunne.

– Det er bare en drøy time siden. Hun nevnte deg. Jeg tror hun følte at du var underveis.

– Anna, kjære, gode snille søsteren min. Rise tok ansiktet til Anna mellom hendene sine og lot gråten komme. – Du har smil om munnen. Du som alltid passet på meg og satte deg selv til side for at lillesøster skulle ha det bra. Nå har du reist … og jeg ser at du har fred. Rise rettet seg opp og slo hånden for munnen, men gråten ville ikke stanse. – Nå må jeg leve alene med minnene våre fra Knatten, men jeg lover å ta godt vare på dem.

Rise tørket øynene og trakk pusten skjelvende. Det hadde ikke vært i hennes tanker at Anna skulle dø så tidlig, men nå forstod hun at det var dette som hadde plaget henne helt fra den sommerdagen da ørnene svevde over dem. Det var et varsel som hun aldri klarte å tyde.

– Doktoren kunne ikke gjøre noe, og kroppen hennes klarte ikke å stå imot lenger. Viljar klarte å snakke rolig. – Lenge trodde vi at hun skulle friskne til, men jeg sendte beskjed så snart vi forstod at det var alvorlig. Hun døde i armene mine.

– Så følte hun seg trygg like til det siste. Det er godt å høre. Rise pusset nesen og tok av seg kåpen. I det samme kom Torolf og Marit Sofie inn, og hun trakk seg litt tilbake så barna skulle få se mor si. Mens far og sønn og datter stod ved senga til Anna, husket Rise på det hun hadde lest i dagboka til Amanda. Den gamle hadde også mistet søster si i lungebrann, og hun rakk heller ikke fram tidsnok til å ta farvel. Det er altfor mange likheter mellom Amandas liv og mitt, tenkte Rise. Det er uhyggelig. Jeg vil ikke lese mer i den boka.

– Nå foreslår jeg at pappa får seg en vask og tar på rent tøy, sa Rise da Marit Sofie lurte på om hun måtte gå på skolen i dag. Jenta var grimet av grått, og sorgen stod som ullgrå skodde i ansiktet. – Hvis du vil være hjemme, kan du sikkert det, men hadde jeg vært deg, ville jeg gått. Når du kommer hjem, er mamma pyntet og lagt pent i en kiste, og da kan du sitte hos henne så lenge du vil.

– Vi gjør som tante sier, snufset Torolf. Han ville gjerne være kar, men tårene rant så stritt at han stadig måtte tørke kinnene med håndbaken. – Mamma ville likt det …

Rise så på Viljar at han var lettet over at hun tok styringen. Selv var hun glad for å kunne være til nytte, og på den måten lette sorgen bitte litt. Men hun visste at hun kom til å leve som i en tåkeverden fram til jordfestelsen. Det var akkurat slik hun følte det da hun mistet Edvin.

Anna ble stelt og lagt i kiste på et kjølig gjesterom. Det brant stearinlys i mange staker, og Rise og Vårin hadde bundet små kranser av gran som pyntet opp ved lysestakene. Over det hvite teppet i kista hadde de strødd tørkede roseblader som Anna selv hadde samlet, for tidlig i februar var det ikke annen blomsterpynt å oppdrive.

Det var mange som byttet på å sitte hos Anna, og verken Viljar eller Rise insisterte på å holde seg våkne tre døgn i strekk. Alle fikk seg noen timers søvn hver natt, og det hjalp dem til å håndtere sorgen. Når Rise satt ved senga, tenkte hun ofte på den siste sommeren hun hadde hatt sammen med søsteren. Det hadde vært en hyggesommer helt utenom det vanlige, og Anna hadde vært så glad og avslappet. Det var *denne* sommeren

Rise ville huske. Det var *slik* hun ville minnes søsteren.

Lørdag 3. februar 1883 stod en pyntet slede utenfor fru Iversen-huset. En stor folkemengde hadde samlet seg i hagen, og herrene strøk hatten av da kista med Anna ble båret ut av huset. Det var Viljar, Storm, Poppe, Peder Bruun, advokat Valle Dale og Pål Storgård som bar, og de satte kista så forsiktig fra seg på sleden at det ikke kom en lyd. Rise rettet litt på det vevde kisteteppet som dekket kistelokket, før presten stemte i med en salme. Lyden av salmesang ble dempet av den tørre vinterlufta, men Rises stemme lød klokkeklar og fast. Det minste hun kunne gjøre for søsteren, var å hedre henne med sang. Anna hadde alltid vært betatt av sangstemmen hennes.

Da sangen var over, stilte Viljar seg foran sleden og tok fatt i dragene. Det var tid for Annas aller siste reise gjennom Lillehammers gater, og den reisen ville han selv stå for. Huset lå ikke så langt fra den nye kirka, og det var godt sledeføre da Viljar spente musklene og la tyngde på dragene. Sleden var overraskende lett å få i bevegelse, og den gled lydløst mot porten og ut på veien. Der tok presten ledelsen, men Viljar kom like bak. Storm og Torolf gikk tett inntil sleden på den ene siden, Vårin og Marit Sofie på den andre. Like bak gikk

Rise alene, og hun kunne ikke huske sist hun hadde følt seg så hul og sorgtung. Selv ikke da Edvin døde, hadde hun følt det slik. Dette var en annen sorg. Nå trengte hun ikke å gjøre seg sterk for egne barn eller bekymre seg om framtida. Denne sorgen krevde ingenting av henne. Den bare var.

Det var mange som stod langs veien og så glassmesteren som førte kona si til kirken denne dagen. At Viljar selv trakk sleden, gjorde sterkt inntrykk på alle, og ingen var i tvil om at han hadde elsket Anna over alt.

Gravfølget var langt og taust. Bare knitringen fra kraftige såler mot tørr snø fylte lufta med dypt alvor, og det var en lyd som Viljar aldri skulle glemme. Han trakk sleden i jevn fart og var overrasket over hvor lett den var, som om noen hadde gnidd inn meiene med voks. Men det gjorde at han klarte å tenke på mer enn bare å bruke krefter. Dette var den aller siste reisen han gjorde sammen med Anna, og den ville han huske som en god ferd. Han klarte til og med å glede seg over den gnistrende rimfrosten på bjørketrærne langs veien, og han tenkte at verden hadde pyntet seg i hvitt for å ære Anna Torolfsdatter Knatten. Det var vakkert.

Da følget nærmet seg kirken, begynte klokkene å kime, og den endelige avskjeden nærmet seg. Virkeligheten slo ned i Viljar som et takras, og et vilt øyeblikk hadde han lyst til å snu og løpe hjem med Anna. Han ville ikke gi slipp. Dette måtte være en drøm. Det *kunne* ikke være siste gang …

– Da går vi inn i kirka, sa presten. De hadde stanset utenfor kirkedøra, og avtalen var at presten skulle holde en privat tale inne i kirka. Det vanligste var fortsatt å bære kista rett til leggplassen, men flere og flere ville gjerne ha en minnestund inne i kirkerommet før de senket kista. Slik ville Viljar også ha det, og han håpet at denne stunden kunne bli et godt minne for barna.

Karene gjorde seg klare til å løfte mens resten av gravfølget ventet, og en sky av kald pust la seg over den mørkkledde forsamlingen. Men de måtte vente litt til, for Viljar var ikke rede. Mange fulgte ham med blikket og lurte da han begynte å kneppe opp frakken, for det var et isende drag på kirkebakken. Men Viljar Knutsson brydde seg ikke om kulda da han bøyde seg og la frakken på bakken der de skulle gå med kista. Nå kunne de føre henne inn i kirka …

11

To dager senere hjalp Rise til med å sortere søsterens garderobe. Sammen med Vårin og Marit Sofie la hun klærne i tre hauger – én til Vårin, én til Marit Sofie og én til Fattigkommisjonen. Jentene mente at de kunne sy om noen kjoler, og så var det flere pene jakker og kyser og sjal som de ville beholde. Men det aller meste fikk kommisjonen, som kunne selge eller gi bort klærne akkurat som de ville.

Rise falt til ro straks gravferden var over, og det var godt å tenke på at alt hadde vært vakkert. Presten talte varmt og inderlig til familien, salmesangen steg til himmels som en skinnende hyllest, og gravølet hadde vært fullt av gode minner og historier om Anna. Nå begynte en ny hverdag for Viljar og familien, og den måtte de finne ut av sammen.

– Vil du komme hit når jeg skal konfirmeres, tante? Marit Sofie så håpefullt på Rise. – I stedet for mamma.

– Det skal jeg sannelig prøve på. Rise hadde ikke hjerte til å si nei, selv om det ble en lang reise. – I år er det ingen konfirmanter på Øvre, så det passer jo fint. Men da må du love å komme til Bøverdalen igjen. Når du får tid. Rise ville ikke legge noe tidspress på jenta.

– Du skal vel fortsette å gå på skole etter konfirmasjonen?

– Ja. Mamma håpet at jeg ville det, så *det* skal jeg. Men jeg kan komme når jeg har fri om sommeren.

– Avtale. Og så tar du med deg pappa og alle andre som vil høre bukkehorn. Rise smilte oppmuntrende. Iblant tenkte hun at det kanskje var Viljar som tok Annas død tyngst. Men hun visste godt at sorgen hadde mange ansikter, og at den varierte i styrke gjennom dagen. Det virket i hvert fall som om de to yngste barna falt inn i hverdagsrytmen igjen, og den siste kvelden hun var på Lillehammer, hadde hun en lang prat med Viljar.

– Nå blir jeg boende her til jeg vet hvordan det går med barna, sa han. – Det er ingen hemmelighet at Anna og jeg snakket om å flytte tilbake til Gjel, men hun ville ikke før hun var sikker på at alle ungene stod støtt på egne bein.

– Anna var byfrue, svarte Rise. – Jeg tror ikke at hun ville falt til ro i Bøverdalen. Men det er kanskje annerledes med deg?

– Jeg dras mot fjellene, ja. Storm klarer seg utmerket på verkstedet, og når han får mesterbrevet, kan han overta alt sammen. Da er jeg ikke bundet av å bo på Lillehammer. Men jeg vil være i nærheten av barna en stund til, og de skal føle at de har et barndomshjem å komme til i ennå mange år.

– Det forstår jeg. Vi er nok alle gamle og grå og tannlause den dagen du flytter tilbake. Men jeg håper at du vil komme ofte til Øvre og være sammen med oss om sommeren. Du vet at du alltid er velkommen.

– Takk, Rise. Viljar gned seg hardt i ansiktet og sukket sårt. – Sammen med deg vil jeg alltid føle at Anna er nær. Du kommer til å se meg i Bøverdalen titt og ofte er jeg redd for. Og jeg gleder meg til den dagen jeg kan minnes de stedene der Anna og jeg hadde det fint, med et smil. Det er slitsomt å sørge.

Rise nikket og kjente igjen følelsen. Den første, glade latteren etter at Edvin døde, husket hun som en befrielse, men det tok lang tid før den kom.

– Jeg har snakket med alle fire barna om én ting, fortsatte Viljar. – Det store maleriet i spisestua, det fra Knatten – vi vil gjerne at du skal ha det. Vi er sikre på at Anna også ville det slik.

– Men du har jo betalt dyrt for det, stotret Rise. – Synes du ikke at det minner om Anna? Jeg mener, Anna var veldig glad i det.

215

– Nettopp. Hun var veldig glad i det, og hun var veldig glad i søster si. Jeg *vet* at du kommer til å minnes Anna og de gode stundene i oppveksten hver gang du ser maleriet, og derfor mener jeg at det hører hjemme hos deg.

– Du vil ikke savne det?

– Jo. Men jeg vil glede meg over at det henger på Øvre. Si at du vil ta det imot?

– Klart jeg vil, Viljar. Det maleriet er eventyrlig, og noe av det beste Reier Dahl har malt. Men jeg kan ikke ta det med nå. Malingen kan bli ødelagt i kulda.

– Det kan henge her til det blir varmere i været, men i løpet av sommeren skal jeg sørge for å få sendt det oppover. Viljar reiste seg og gav Rise en god klem. – Takk, Rise. Takk for alt du har vært for Anna og for meg og barna. Jeg håper ikke at vi mister kontakten selv om Anna er borte.

– Ingen fare. Marit Sofie har lovet å besøke oss ofte, og hun skal ta far sin med seg. Rise smilte og lot hånden bli liggende på skulderen til Viljar da han slapp henne. – Nå skal du ikke holde igjen gråten eller sorgen, men du skal heller ikke holde igjen latteren og gleden. Og så skal du se å bli kvitt skulderverken.

– Den klarer visst du å kurere, mumlet Viljar. Han kjente at den konstante verkingen i armen avtok med det samme Rise la hånden sin på skulderen hans. – Jeg hadde nesten glemt hvordan det er å leve uten smerter.

– Du får i alle fall en smertefri natt, svarte Rise.

– Kanskje flere … God natt, Viljar.

I sleden på vei oppover dalen fikk Rise god tid til å tenke. Dagene på Lillehammer hadde gått fort, og det meste var som i en tåke. Det hadde vært mange gjester i gravølet, og blant dem var også Karoline. Men Rise hadde bare vekslet noen få ord med henne, og ingen av dem hadde nevnt Liv. Det var i grunnen godt, for ved dette møtet var det helt andre ting som opptok tankene. For Rise var det likegyldig hvorvidt Karoline hadde hørt noe fra datteren i Trondhjem eller ikke, og det skjønte nok Karoline.

Rise trakk fellene tettere om seg og lukket øynene. Fortsatt var hun rystet over å ha mistet Anna, men hun prøvde å mane fram hyggelige minner og kjente at det gjorde godt. Noen ganger så hun også for seg dagboka til Amanda, men *det* synet gjorde henne bare sint, så hun tvang tankene unna. I stedet dvelte hun ved alle hyggestundene på Ley, mintes handleturer på Lillehammer, kaffestunder på Øvre, solrike dager ved Gjende, og selvfølgelig barndommen på Knatten. Den første, ulykkelige tiden på Øvre hoppet tankene elegant over, og det samme gjaldt Annas ekteskap med

Malcom. Nå var det tid for gode minner, og *bare* det.

På skysstasjonene fikk Rise godt stell, for det var ikke mange reisende på denne tiden av året. Nå tok hun seg også tid til å sove i en seng hver natt, i motsetning til da hun kjørte nedover. Da hadde hun byttet hest og kusk og reist videre med det samme i et desperat håp om å nå fram tidsnok til å få tatt farvel med søsteren.

En tidlig kveld nådde hun skysstasjonen Nedre Åsåren i Ottadalen. Det var mørkt og snø i lufta, så hun bestemte seg for å bli der over natten. Riktignok hadde hun sovet litt på veien, men hun begynte å bli sliten av å sitte stille i sleden, og en tidlig kveld med tid til å strekke på beina fristet.

– Varm suppe og mjukbrød, foreslo kona på gården. – Og du får nok med feller og tepper i senga. Her skal ingen fryse.

Rise var takknemlig for omtanken, og det passet henne godt at det ikke var så mange andre losjerende her i kveld. Et par karer som satt innerst i stugu, var halvveis nede i ølkruset, og en tømmerkjører avsluttet akkurat måltidet med å sende ut en dyp rap. Ingen av dem brydde seg med å hilse, og hun satte seg ved langbordet i andre enden av der tømmerkjøreren tørket seg om munnen med jakkeermet. Veggen tjente som ryggstø, og Rise la hodet bakover og lukket øynene. Varmen i rommet fikk henne til å slappe av, og lukten av mat kilte i neseborene. I kveld var hun sulten, og hun var sikker på at maten kom til å smake.

– Det er bare to gjester her i kveld, fortalte kona og nikket mot tømmerkjøreren. – Dere får de beste sengene.

– Takk, det er snilt. Rise så mot bordet der de to karene satt, og kona svarte før spørsmålet ble stilt.

– Det er arbeidskarer som bygger om litt i stallen. De spiser her, men overnatter ikke.

Rise nikket og grep skjea. Om et par dager ville hun være tilbake på Øvre, og hele denne reisen kom til å stå for henne som noe uvirkelig. Men suppa kom hun til å huske, for den var full av kjøtt og smakte himmelsk. Da hun roste maten, blunket kona lurt.

– Ikke alle reisende får så fyldig suppe. Det er nok litt ekstra godt oppi denne.

Rise tok seg god tid ved bordet, og hun kostet på seg en kopp kaffe og en kake etter suppa. Da kona kom med et par aviser og lurte på om hun ville lese nyheter, tok hun imot og bladde seg gjennom artikler om dampskipet *Ole Bull*, som hadde gått på grunn ved Lindøen, om ordførervalg i Drammen by og om Ildebrann i Trondhjem. Det siste var urovekkende, men da hun så datoen på avisa, 9. januar, ble hun roligere. Hvis Liv hadde vært berørt av dette, ville de ha fått beskjed for lenge siden. Så kikket hun raskt over annonsene i den andre avisa, og merket seg at Bundtmager J. Andersen i Christiania anbefalte *ulveskindspeltse, bjørneskindsslædefelde, sjubskindstulupper og bæverskindspaletoer.*

– Rise?

Rise skvatt da en mannsrøst sa navnet hennes, og hun så opp fra avisa. Hun hadde ikke merket at arbeidskarene var ferdig med ølen sin og var på vei ut. Nå stod en av dem foran henne og smilte forsiktig. Hun kjente ham straks igjen, og gjengjeldte smilet varmt.

– Tønnes! For en overraskelse. Hvordan står det til med deg?

Det eldste av barna fra Olderbua var blitt en voksen kar, og hun visste at han bodde med kone og barn på Otta.

– Jeg har det bra. Er far til tre unger og har ei grepa kjerring. Tønnes gliste og husket tilbake i tid. – Og jeg som trodde at jeg aldri kunne få meg kjæreste fordi jeg vokste opp uten far i ei fattig stugu.

– Ungdomssorger, slo Rise fast. – Går det bra med søsknene dine også? Hun gløttet bort på kameraten, men så fort at *det* ikke var en av brødrene hans.

– Det tror jeg. Alle har arbeid og sørger for seg selv. Dette er Ivar, arbeidskameraten min. Tønnes slo ut med armen så Ivar måtte komme bort og hilse. – Han husker Tulla og Erik.

Rise bad karene om å sette seg ved bordet, og spurte om de ville ha en øl til. Og så spurte hun hvordan det kunne ha seg at en ung kar på rundt tjue kjente Tulla. Det var jo mange år siden Tulla flyktet fra bygda på grunn av folkesnakk omkring farskapet til Erik. Det var *Tulla* som måtte slite med skam og skyldfølelse fordi svigerfaren hadde satt unge på henne.

– Når møtte du Tulla og Erik? spurte hun Ivar. Karen var tynn og markert i ansiktet, men han hadde et åpent, litt sårbart blikk, som fikk ansiktet til å lyse.

– Mor til Erik arbeidet hos oss på Myrom en kort stund. Det er et av de beste *og* vanskeligste minnene jeg har fra oppveksten. Ivar grep om ølkruset og tok en stor slurk. – Jeg hadde ingen god oppvekst på bruket, for far min var en voldelig buse som både slo og drakk og gikk løs på inventaret. Men så kom Tulla og sønnen, og jeg fikk plutselig en lekekamerat på min egen alder. Jeg kunne ikke ha vært mer enn fem år den gangen, men jeg husker fortsatt hvor fint Erik og jeg hadde det sammen. En kort stund.

– Å ja, mintes Rise. Tulla hadde fortalt henne den historien for lenge siden. – Etter en tid flyktet Tulla fra far din fordi hun var redd for at han skulle skade henne og Erik?

– Ja. Den hendelsen sitter fortsatt i meg. Ivar ristet på hodet og tenkte tilbake. – Jeg ville så gjerne ha løpt sammen med dem, bort fra Myrom og far min og alt. Erik var snill, og Tulla var snill. I stedet ble jeg stående i sokkelesten og se etter dem mens jeg gråt som jeg aldri før hadde gjort. Tenk at jeg husker det så godt.

– Hvordan gikk det med deg, da?

– Jeg ble slått gul og blå da pappa kom tilbake alene, for det var jeg som hadde varslet om at han var etter dem. Når jeg tenker tilbake på all den julinga jeg fikk i oppveksten, er det et under at jeg ikke er krøpling i dag.

– Og far din?

– Han drakk seg i hjel da jeg var fjorten år. Og jeg skammer meg ikke for å si at det var en stor lettelse. Myromplassen står forlatt og forfaller, og verken *jeg* eller noen av de tre søsknene mine kommer til å flytte dit. Vi har alle for dårlige minner fra det stedet.

– Du har gått en hard skole, skjønner jeg. Men hva gjør du nå?

– Jeg tar alt jeg kan få av arbeid. Og så langt har jeg hatt nok å gjøre. En som meg kan ikke regne med å få fast arbeid. Alle vil ha attester og papirer, men jeg har ingenting å vise til.

– Du må sørge for å få attest hver gang du er ferdig med et arbeid. Til slutt har du så mange gode skussmål at du kan velge og vrake i stillinger.

– Ja. Men jeg klager ikke så lenge jeg klarer meg. Ofte får jeg bo der jeg arbeider, eller Tønnes og kona gir meg

222

tak over hodet. Så lenge jeg ikke har familie, klarer jeg meg godt.

– Ivar er et arbeidsjern, skrøt Tønnes. – Hvis jeg får en oppgave som krever flere hender, vil jeg aller helst arbeide sammen med ham. Da går det som regel unna. Én dag får han seg fast arbeid, helt sikkert.

– Har du noe imot å tjene på en gård i Bøverdalen, da? Rise og Torodd hadde lenge snakket om å ansette en gårdsgutt til, slik at Sigbjørn kunne få lettere dager. – Vi trenger en driftig kar på gården.

– Fast gårdsgutt? Det glimtet håpefullt i øynene til Ivar mens han så usikkert på Rise.

– Fast arbeid, ja. Du må ta i et tak med det meste.

– Jeg gjør hva som helst, jeg. Og det jeg ikke kan så godt, vil jeg gjerne lære.

– Da synes jeg at du skal gjøre deg ferdig med de oppgavene du har påtatt deg her nede, og så kommer du til Øvre etterpå. Eller vil du vite mer om betingelsene først?

– Det er vel ikke nødvendig, eller …

– Du er griseheldig, brøt Tønnes inn. – Får du arbeid på Øvre, kan du være sikker på at betingelsene er de aller beste. Det er mange som vil misunne deg *den* stillingen.

– Da sier jeg takk. Men det er litt uvirkelig at jeg plutselig blir tilbudt et fast, lønnet arbeid.

– Livet *er* tilfeldig, sukket Rise og fortalte om Anna. Tønnes visst jo godt hvem søsteren var, og han ble lei seg over å høre den triste nyheten. Men han hadde selv opplevd å miste mor si i ung alder, og hadde lært seg til å huke tak i de lyse sidene av livet. Resten av samtalen ble derfor en trivelig stund, og både Tønnes og Ivar framstod som trygge og reale karer. Da de omsider tok farvel, følte Rise at hun hadde gjort et riktig valg, og den natten sov hun drømmeløst og tungt.

Våren på Øvre ble en fin tid. Selv om Rise savnet Anna så det sved i bringa, klarte hun å glede seg over naturen som våknet til liv, og hun følte ofte at søsteren var med henne. Det kunne være et lite løvblad, en mogop, en løvsangertrille eller en overmodig rådyrkilling som fikk henne til å tenke på Anna, for søsteren var alltid opptatt av det vakre i naturen. Men det kunne like gjerne være en hverdagssyssel som fikk Rise til å savne Anna. I disse dager ville hun for eksempel ha skrevet brev og fortalt Anna om den nye gårdsgutten på Øvre. Han var nemlig akkurat så flink og arbeidsvillig som Tønnes hadde sagt, og Torodd mente at det var Rise som heretter fikk ansette folk.

Svein Ulrik utførte også sine plikter på gården, og Torodd slapp ham til i stall og skog og ellers der gutten selv ville arbeide. Et par dager var han også med

Jo og slindet trærne som skulle tørke på rot, og da ble det mye snakk om jakt og skytevåpen. Svein Ulrik ville gjerne være med på jakt denne høsten også, noe som gledet Rise da hun hørte det.

Men først var det bufar, og da dagen kom, red han med bølingen til sætra for å frakte inn alt utstyret. Sammen med Morten gjorde han mannfolkarbeid som å vøle på takene, grave ut større plass til melkespannene i elva, ro fiske og bytte et par stokker øverst på løeveggen. De minste barna gjætte dyra, og Svein Ulrik følte seg som kar når han kunne bli igjen på sætervollen med tømmerbila i hendene. Men så snart han kom tilbake til Øvre, ble dagene annerledes, og han begynte på nytt å snakke om Bergen.

– Bjarte Meyer sa at jeg kunne få være med ham og lære, gjentok Svein Ulrik en kveld han og Rise snakket om framtida. Rise mente fortsatt at landbruksskole var det beste for ham. – Det er mye mer spennende å få oppleve hvordan det er å drive med handel.

– Men du får kanskje ikke bruk for den lærdommen, innvendte Rise. – Det er ikke for alle å starte med handel og etablere et handelshus, og du har ingen erfaring med sånt.

– Nettopp, triumferte sønnen. – Jeg må jo få erfaring før jeg kan vite om det er noe jeg vil drive med. Jeg *vet* jo hva det vil si å drive en gård, og jeg har sett både kyr og geit og såkorn og potet og hakke og greip og …

– Ja ja. Jeg skjønner hva du mener. Men fortell meg hva du tror at du vil få ut av et år i Bergen. Rise skjønte allerede hvor denne ordvekslingen ville føre dem. Svein Ulrik var seksten år og full av utferdstrang. Han hadde satt seg i hodet at han ville oppleve Bergen og livet i et handelshus. Han ivret etter å se hvordan varene ble bestilt, hvor de kom fra, og hvordan de nådde ut til kjøpere. Han drømte om å møte utlendinger og fremmede for å diskutere oppkjøp, og han lengtet etter frihet. Men han var fortsatt ung.

– Jeg kommer til å få erfaring med å selge varer og tjene penger, og jeg kommer sikkert til å lære en hel masse om regnskap. Og tenk på alle de spennende varene som kommer over havet fra andre land!

– Du glemmer at det er hardt arbeid, minnet Rise om. – Du må lempe tønner og sekker og kasser på lageret, og du kan få i oppdrag å vaske gulv og løpe ærend. Det er ingen dans på roser å arbeide i et handelshus.

– Det er vel greit. Jeg lærer av *det* også. Men det skjer så mye mer i Bergen enn i Bøverdalen! Og jeg er voksen.

– Du fikk prestehanda på deg i fjor, det er riktig. Men jeg synes at du burde ha et år til på baken før du reiser til en stor by.

– Det synes ikke jeg. Svein Ulrik så trassig på mor si.
– Hvis du nekter meg, kan jeg reise til farfar og farmor i Skjolden. De vil sikkert la meg få lov.

Til sjøs med Ulrik og Dorthea, tenkte Rise sint. Hadde det ikke vært for dem, hadde hun sluppet disse ordvekslingene. Det var de som tok med seg guttene på tur til Bergen, og der startet grillene. Men hun innså også at hun ikke kunne tvinge sønnen til å gå på landbruksskole når han absolutt ikke ville.

– Det vil de sikkert, svarte Rise rolig. – Uansett er det vel fra Skjolden du kommer til å fare.

– Mamma, hør her. Svein Ulrik så innstendig på moren. – Jeg reiser jo ikke fra deg og Øvre fordi jeg vil såre deg, men fordi jeg vil oppleve noe nytt. Jeg er sikker på at pappa hadde likt tanken hvis han hadde levd. Det siste var et ømt punkt, og han visste at moren var svak for den påstanden. Selv om Torodd var høyt respektert og hadde vært som en god far for guttene, *var* han likevel ikke faren.

– Ja, det tror jeg også, sukket Rise trett. – Men jeg er ikke så sikker på om han ville slippe deg av gårde så tidlig.

– Men jeg skal bo hos Line og Bjarte, det er jo familien min. Og det finnes ikke ulver i Bergen.

– Det skal du ikke føle deg for sikker på, unge mann. Ulver på to bein finnes overalt.

– Å, du er så irriterende, mamma. Svein Ulrik pustet sint og reiste seg. – Jeg *vil* til Bergen. Det er ikke verre for meg å bo der et år enn det var for Jo å bo mutters alene på fjellet etter konfirmasjonen.

Rise måtte gi gutten rett, og hun visste at han ikke ville gi seg. Dette kunne ende med at han pakket sekken i smug, og tok av sted en natt uten å si farvel. *Det* var ikke en situasjon hun ønsket.

– Jeg skal skrive et brev til Line og Bjarte, lovet hun. – I dag. Så får vi vente på svar og høre om det passer. Er du heldig, rekker du å komme med en båt mens det fortsatt går an å gå over fjellet til Skjolden.

– Det kan vel ikke ta *så* lang tid å få svar. Svein Ulrik stanset ved døra og nølte. – Da kan jeg bo i Bergen fra høsten av?

– Hvis det passer for handelsmann Meyer. Rise så trett ut, men hun smilte forsiktig. – Du er jo voksen.

– Takk, mamma. Du er hjelma grei. Svein Ulrik gav moren en keitete klem før han løp på dør. Han måtte fortelle Morten at han skulle flytte til Bergen.

Og Rise holdt ord. Samme kveld skrev hun brev til Bergen og til Skjolden. Hvis Line og ektemannen fortsatt ville ta imot Svein Ulrik, kunne kanskje Ulrik og Dorthea være behjelpelige med å ordne båtskyss. Og det var ingen grunn til å vente. Så snart det kom et bekreftende svar fra Bergen, var alt klart for at sønnen kunne dra.

– Det har skjedd store ting i løpet av et år, sa Torodd etter at de hadde lagt seg den kvelden. – Liv reiste til Trondhjem, Anna døde, og nå skal odelsgutten i vei. Men *jeg* er fortatt her. Han kysset Rise på kinnet og trakk henne inn i armkroken. Ingen av dem var klare for heftig sengekos, men det var inderlig godt å hvile tett sammen.

– Og det er jeg kluvande glad for. Tenk om Svein Ulrik blir så betatt av Bergen og handelen at han blir værende.

– I så fall er det ingenting vi kan gjøre med det. Torodd strøk en flat hånd over armen til Rise og merket at hun slappet av. – Gutten må gjøre det han selv har lyst til, og vil han ikke drive gården, så vil han ikke. Men han må jo ikke bestemme seg på lenge ennå.

– Nei. Nå får han prøve seg på egne bein i handelsbyen, og han er jo i trygge omgivelser. Det burde gå bra.

– Det *går* bra. Akkurat som med Liv. Det går bra.

– Sikkert. Rise glippet med øynene og gjespet. – Det er en stund siden jeg hørte fra henne, så jeg lurer på om hun har kommet inn på lærerinnekurset til høsten. Hun hadde i alle fall ikke tid til å komme hjem i sommer, og det tar jeg som et godt tegn.

– Kanskje hun har funnet seg kjæreste, mumlet Torodd. – Da kommer hun vel til å bli boende i Trondhjem resten av livet.

– Det vil tiden vise. Jeg tenker at hun har godt av å sørge for seg selv.

– Akkurat som Svein Ulrik. Torodd klemte Rise ertende mot seg. – Nå sover vi litt, og i morgen sender vi brevene over fjellet. God natt …

Den gode følelsen av å ha tatt en endelig avgjørelse var merkbar. Da Torodd hadde vært på skysstasjonen og fått sendt brevene med bud til Skjolden, kjente Rise seg lettere til sinns, og hun nynnet seg gjennom dagen. Mye av tiden brukte hun til å veve, og i løpet av sommeren kunne de sende fra seg flere tepper. Bildevevene fra Bøverdalen var godt kjent, og det kom stadig nye bestillinger. Nå hadde hun tre koner i arbeid, og alle fikk anstendig betalt. Likevel tjente hun godt på salget, og så lenge hun syntes det var artig å drive verkstedet, ville hun fortsette.

Torodd kjente også på en viss lettelse etter at brevene var sendt, og han unte seg både én og to fristunder i havnehagen den dagen. Hestene skinte og var i godt hold, og han kunne med rette være stolt av stallen sin. Jordene stod grønne og fine, og de fikk nok vann via vassrennene. Enkelte steder måtte karene til med skjeltreko for å få vannet dit det trengtes, men dette hadde

Sigbjørn god kontroll på, og Torodd kunne bare nikke og nyte synet av en blomstrende gård. Da sommerkvelden kom listende med mild bris og rasling i løvtrær, satt Rise og Torodd på stabburstrappa med hver sin tekopp. Det var godt å sitte slik en stund før leggetid, og de blandet seg sjelden med gårdsfolkene som satt oppe ved bekken.

Men plutselig dukket det opp en kropp ved stallnova, og Fredrik Trond kom slentrende mot dem med nevene i lomma. Torodd så med stolthet på sønnen sin, og syntes det var hyggelig at gutten tok seg tid til å komme innom Øvre iblant. Nå gjorde de plass til ham på trappa, og så fikk de høre litt om stellet på Nedre. Alt var greit, og i madrassverkstedet hadde Åse nok å gjøre. Vesle-Hallvard vokste, og femåringen var høyt og lavt, fortalte Fredrik Trond med et smil.

– Og snart kommer det et nytt barn, lo Rise. Det var ingen hemmelighet at Åse gikk barntung igjen og skulle føde senhøstes. – Da blir det nok travelt for flere enn Åse.

– Det kommer snart en ny gårdsgutt på Nedre òg, fortalte Fredrik Trond. – Jo har visst fått tak i en flink kar fra Skjåk.

– Ja, han kan vel trenge det nå som han har utvidet jordene, mente Torodd. – Det blir vel i travleste laget for deg.

– Den nye kommer i stedet for meg. Jeg skal slutte som gårdsgutt på Nedre.

– Har du fått deg annet arbeid? Torodd så overrasket på sønnen, og Rise hevet brynene spørrende.

– Ja. Jeg reiser.

– Langt? Den lette stemningen fra tidligere på dagen var som blåst bort, og Torodd kjente et tomt sug i magen. Nå var det visst hans tur til å vinke farvel til sønnen, og siden gutten var nitten år, måtte han bare ønske ham lykke til. Men hvor hadde karen tenkt seg?

– Jeg har fått arbeid på et bryggeri. Det er grei lønn og husvære.

– På Lillehammer, da? Det er en trivelig by.

– Trondhjems Bryggeri, svarte Fredrik Trond stille. – Jeg flytter til Trondhjem.

12

I Trondhjem ble det stor gjensynsglede mellom Liv og Fredrik Trond. De to hadde skrevet brev til hverandre hele året, og Liv visste at vennen ønsket å flytte til byen. Men hun hadde sagt at han først måtte skaffe seg et arbeid, før han flyttet hit. Han kunne ikke bo hos henne, og hun var opptatt hele dagen med studier og arbeid.

– Pappa og Rise likte ikke at jeg skulle flytte hit, sa Fredrik Trond en av de første kveldene i byen. De satt på en benk i en stille park, og hadde bare øye for hverandre. – Hadde den nye arbeidsplassen min vært på Lillehammer bryggeri, ville de jublet. Nå mottok de nyheten med – hva skal jeg kalle det – behersket glede.

– Men de satte seg ikke imot? Liv blusset i kinnene og hadde nesten glemt hvor kjekk Fredrik Trond var. Nå forstod hun at hun virkelig hadde savnet ham.

– Nei, det gjorde de ikke. Jeg er jo voksen nok til å

bestemme selv, og da de omsider hadde svelget nyheten, var de bare hjelpsomme og greie. Jeg skulle hilse deg, og de bad meg om å passe på så du ikke arbeidet for hardt. Jeg tror de skjønner at vi er kjærester. Fredrik Trond så på Liv med et blikk som ikke kunne misoppfattes. – For vi *er* kjærester, vel?

– Hvis du fortsatt vil. Liv rødmet, men hun slo ikke blikket ned. – Jeg lovet jo å vente på deg den dagen du red etter vogna for å ta farvel.

– Jeg hadde ikke vært her ellers. Dette året har jeg gått rundt og savnet deg hele tiden, og jeg har skjønt hvor mye du *har* betydd for meg, og hvor mye du fortsatt betyr for meg.

– Så får mamma og far din mene hva de vil, sa Liv bestemt. – Jeg har ikke møtt noen gutter som jeg føler meg så glad og fri sammen med som deg.

– Kjære Liv, *nå* kan jeg vel få gi deg et ordentlig kyss? Fredrik Trond bøyde seg så nær henne at fregnene fløt sammen til ett. – Endelig … nå er det bare oss to.

Folk som gikk i parken, smilte og mumlet noe om at ungdommen var mye friere nå enn tidligere. Men ingen kunne bli sinte, for det unge paret som var helt oppslukt av hverandre i skyggen under lønnetreet, var et vakkert syn. Kanskje noen til og med drømte seg tilbake til sin egen ungdomstid.

– Du skal fullføre lærerinnekurset og fagene du leser.

Fredrik Trond dirret av forelskelse, men han hadde bestemt seg for at han ikke skulle ødelegge for Liv ved å sette barn på henne. Nå visste han neimen ikke om han ville klare å holde sitt eget forsett, for han syntes hun var blitt enda vakrere på dette året. – Og jeg skal arbeide og tjene gode penger. Når du er ferdig med utdannelsen, kan vi bestemme oss for hva vi skal gjøre videre.

– Jeg trives i denne byen, svarte Liv andpusten. – Jeg kan godt tenke meg å arbeide her en stund, hvis du også trives.

– Jeg trives der du er. Men jeg kan også tenke meg å drive et bruk sammen med deg. I Bøverdalen.

– La oss se hvor sterk hjemlengselen blir etter hvert, lo Liv. – Bylivet er frodig, men gårdslivet er sannelig mangfoldig og givende. Jeg vil gjerne ha dyr rundt meg, tror jeg.

– Da utforsker vi Trondhjem først. Vil du vise meg rundt?

– Klart. Vi kan begynne med det samme. Liv tok hånden til kjæresten og trakk ham opp av benken. – Vi begynner med domkirka.

De neste ukene var Fredrik Trond og Liv sammen hver kveld. Nesten. Det hendte at Fredrik Trond måtte arbeide om kvelden og natta, og da var Liv sammen med venninner, eller hun leste fag. I august fikk hun vite at hun var kommet inn på lærerinnekurset, og hun skrev et langt brev til Rise. Der fortalte hun også at hun var glad for at Fredrik Trond hadde komme til byen, og så berettet hun om alt de opplevde. Og det tok ikke lang tid før Rise svarte i et kjærlig brev som ønsket de unge en fin tid.

Høsten kom med vind og mye regnvær, og det ble utrivelig ute. Siden Liv ikke fikk ha herrebesøk på værelset, var de ofte hos Fredrik Trond, men losjiet hans var ganske kummerlig, og det hjalp lite at Liv pyntet med gardiner og duker. Likevel var det bedre enn å drive gatelangs i kulda, og med litt god mat og godt humør hadde de det fint.

Utover vinteren var de også mye sammen med venner. Det var mange billige spisesteder der de kunne samles uten å blakke seg, og et par ganger var de i teater. Det var helst vennene til Liv som ivret etter å se teateroppsetninger og å gå på konserter. Men Fredrik Trond var glad for alt han fikk oppleve, og venneparene til Liv var trivelige folk. På julekvelden ble de invitert hjem til Livs språklærerinne, og så gikk de til messe i Vår Frue Kirke på juledagen.

Det hendte nok at det forelskede paret kom hverandre litt for nær i løpet av vinteren, men Liv hadde lært noen knep av Rise, og hun håpet at de ville hjelpe henne, så hun ikke ble med barn. Én ting var at hun kom til å skjemme ut seg selv, en helt annen var at hun ville sette Rise i et dårlig lys. Og var det noen hun ikke ville skuffe, så var det mor Rise.

En vakker vårdag tidlig i mai stod Liv med kursbeviset i hånden. Hun kunne kalle seg lærerinne, og hun var skikket til å undervise barn. Det var en strålende vakker lærerinne som tok imot gratulasjoner fra venner og lærere ... og fra kjæresten. Fredrik Trond var så stolt over det Liv hadde gjennomført, at han løftet henne opp og svingte henne rundt midt på skoleplassen, akkurat slik far hans iblant gjorde med Rise. Den hvite sommerkjolen stod som en klokke om leggene hennes, og de andre jublet.

– Da håper jeg at alle sammen, både ferske lærerinner og alle som har undervist, vil ta med kjærester og ektefeller og spise middag sammen med Liv og meg på Hjorten i aften. Jeg spanderer.

Ny jubel og mange spørsmål om han virkelig mente det, førte til at Fredrik Trond måtte gjenta invitasjonen. Og da alle skjønt at det var alvor, fikk de det travelt med å komme seg hjem for å stelle seg. Til slutt fikk Liv ha kjæresten for seg selv, og hun kunne spørre om han visste hva det kostet på et sånt sted.

– Det er hjelma dyrt, hvisket hun. – Du bruker opp alle pengene dine. Det er ikke verdt ...

– Hysj, hysj, min vakre lærerinne. Det er ikke mine penger. Jeg gjør bare det jeg har fått beskjed om fra Rise og pappa. De *vil* at vi skal spandere på alle, og de vet hvor mange det er. Dette er en gave til deg, for de er så over alle haugene stolte av lærerinnedatteren sin.

– Men det er jo … Liv avbrøt seg selv og ristet på hodet. – For en overraskelse. Mamma har råd til det, jeg vet det. Liv slo hendene sammen og kysset kjæresten på kinnet. – Å, som jeg gleder meg! Og du har vel fri?

– Vær sikker. Jeg har fri i morgen også. Denne dagen skal bli et fint minne, Liv. Og … jeg elsker deg høyere enn noen gang.

Kvelden ble uforglemmelig. Alle kom, og alle var i godt humør. Maten smakte utmerket, og det ble sunget og danset og skålt. De ferske lærerinnene var slett ingen hengehoder, for vitser og artige historier haglet over selskapet, og latteren satt løst. Liv fikk mye ros fordi hun var så flink i språk, og alle håpet at hun ville fortsette å bo i byen. Det var nok av skoler som trengte lærere.

Da selskapet omsider brøt opp og folk gikk til hver sin kant, var Liv helt ør. Denne kvelden kom hun til å huske lenge.

– Tusen takk, Fredrik Trond. Tusen takk for at du ordnet med alt dette. Jeg er så lykkelig.

– Det er godt å høre. Dette var jo *din* dag. Fredrik

Trond tok hånden hennes, og sammen ruslet de sakte langs elva. Kvelden var lys, og ingen av dem hadde lyst til å legge seg, så de somlet og tok en lang omvei. Til slutt svingte de inn på bybrua, der Nidelva skinte mørk og hemmelighetsfull under dem.

– Dette er en fin bro, sa Fredrik Trond og stanset midt utpå. – Broklappene kan heises opp, og så blir de holdt oppe ved hjelp av de utskårne portalene. Har du sett at de har gjort det?

– Nei. Jeg visste ikke at de kunne heises opp engang. Liv stod tett inntil rekkverket og fulgte strømmen i elva. Maikvelden føltes som silke mot huden, og vare dufter av hegg drev i lufta. Liv Livsdatter var lykkelig og forelsket, og ønsket at tiden skulle stå stille. – Vannet renner så lavmælt, hvisket hun og kjente armen til kjæresten om skulderen. – Ingen fossestryk eller store steiner lager skumbobler. Jeg synes Trondhjem er en vakker by.

– Trondhjem er en vår- og sommerby, svarte Fredrik Trond ømt. – *Da* er den vakker, men jeg vet om ei som er enda vakrere, hele året. Han snudde Liv varsomt mot seg slik at de stod ansikt til ansikt. – *Du* er den vakreste, og jeg elsker deg så hjelma sterkt, mer enn jeg klarer å si med ord. Stemmen hans skalv, og han svelget og blunket før han plutselig knelte framfor kjæresten. – Kjæreste Liv ... vil du gifte deg med meg?

Et svimlende øyeblikk stoppet alt opp for Liv. Hun

snappet etter luft, og var sikker på at selve Nidelva hadde sluttet å renne da Fredrik Trond grep hånden hennes. Han satt fortsatt på kne og ventet mens hun summet seg og blunket vekk gledestårer. Da hun ikke svarte med det samme, kremtet han og la til: – Hvis du vil ha en bryggeriarbeider fra Bøverdalen, da?

– Å, Fredrik Trond. For en kveld! Det er klart jeg vil ekte deg. Deg og ingen andre!

Fredrik Trond reiste seg og gjemte Liv i armene sine. Tydelig lettet. Så fisket han opp en liten eske fra lomma og åpnet lokket der det stod *Gullsmed Møller* med sirlige bokstaver.

– Jeg håper du liker den.

– Nei, men … du hadde ikke trengt å …

– Klart du skal ha en trolovelsesring. Jeg håper at du liker den.

– Den er nydelig, hvisket Liv og satte på seg gullringen. En oval, rød sten fattet i en skinne med ornamenter prydet nå ringfingeren, og den passet perfekt. Hun våget ikke å spørre hva den kostet, men hun håpet inderlig at kjæresten ikke hadde brukt opp alle sparepengene sine.

– Jeg er så glad at jeg kan hoppe i elva, jublet Fredrik Trond. – Men jeg er ikke så flink til å svømme som deg.

– Da håper jeg du lar være, lo Liv. Troloveden lignet mer og mer på far sin både av utseende og i humøret. Han var fregnete og lettlivet, munter og trygg. – Jeg kunne forresten ha trengt en dukkert selv, bare for å komme ned på jorda igjen. Aldri før har jeg svevd slik som nå.

– Da er vi to som svever. Fredrik Trond bøyde hodet og fanget Liv i et langt og inderlig kyss. Midt på bybrua, midt på natten og midt i Norge. I dette øyeblikket fantes det bare to mennesker i hele verden, et ungt par fra Bøverdalen …

– Hva tror du Rise kommer til å si? spurte Fredrik Trond en dag etter at Liv hadde sendt brev hjem og fortalt om trolovelsen. – Kan hun sette seg imot?

– Nei. Jeg er sikker på at hun vil glede seg med oss. Og jeg tror ikke nyheten kommer som noen stor overraskelse, for jeg har jo skrevet og fortalt at vi har vært mye sammen, og hun har aldri hatt noen innvendinger.

– Det blir bryllup neste sommer, da? Fredrik Trond blunket blankt mot Liv. – På Øvre?

– Ja, slik må det bli. Hva tror du om arbeidet på bryggeriet? Trives du?

– Et år til, kanskje. Men jeg begynner å savne plogen og vassvegene. Livet på fabrikk er ikke noe for meg i lengden. Men jeg tjener jo bra, og det kan komme godt med når vi skal stifte bo. Hva med deg?

– Jeg gleder meg til å undervise barn i Trondhjem

det neste året. Men etter det har jeg kanskje fått nok av byen. Hvis du har lyst til å flytte hjem igjen, er det ikke meg imot.

– For *hjem*, det er Bøverdalen for deg også?

– Ja. Men vi må ha et sted å bo, og jeg håper at det er en ledig lærerstilling til meg. Jeg vil fortsatt undervise selv om vi får leie et bruk.

– Det er klart. Og jeg tror at vi får drive, kanskje til og med overta, Sletti-plassen. Pappa nevnte en gang at jeg kunne få vise hva jeg dugde til, ved å drive plassen som jeg selv ville.

– Da er vi heldige, skinte Liv. – Sletti-plassen er et hjelma trivelig sted. Men vi må vente og se hva mamma og Torodd blir enige om. Nå har vi i alle fall en plan.

– En god plan, fastslo Torodd og danset med Liv rundt en av byens fontener. – Vi hygger oss i Trondhjem et år til, så blir det gjestebud i Bøverdalen, og gårdsdrift og småtroll. Tjo!

– Hva tror du folk tenker? lo Liv. – Lærerinna i løssluppen dans med kjæresten midt i byen.

– De synes det er på høy tid å få en munter og livlig frøken i skolestua. Fredrik Trond stanset og strøk av seg lua da en hestevogn kjørte forbi. Han bukket dypt og ropte etter de reisende: – Hun skal snart bli kona mi! Det er grunn nok til å ta en svingom!

På Øvre nikket og smilte Rise og Torodd da de fikk brev fra Liv. Det var lenge siden Rise hadde forsonet seg med tanken på at Liv og Fredrik Trond hadde valgt hverandre, og dette var bare den endelige bekreftelsen. Nå ønsket de det unge paret lykke til med livet, og så forberedte de gjestebud sommeren 1885. Paret skulle få Sletti-plassen som medgift, og det neste året brukte Torodd til å utbedre huset og fjøset der. Det var ingen nedslitt og kummerlig gård de skulle gi bort.

Rise følte seg rolig og avslappet nå som alt hadde ordnet seg, og hun gledet seg til å se Liv stå brud. Det ville bli rart å se den første av barna opp kirkegulvet, men hun kjente at dette var rett. Akkurat som hun kjente at det var riktig å sende Svein Ulrik til Bergen. Gutten skrev begeistrede brev hjem og fortalte om arbeidet i handelshuset. Han likte seg godt, og fikk gode skussmål av Bjarte og Line. Men ett år i handelslære var for kort tid, og han kom til å bli i Bergen minst et år til.

Livet på Øvre var fint på alle måter. Nå som barna begynte å bli store, fikk Rise mer tid til å være på sætra om sommeren, og hun gledet seg intenst over blomster og dyreliv i fjellet. Hun fikk også mer ro ved veven, og hun hadde gode stunder når Hallvard og Elsa kom på besøk. Fortsatt var det mange som ville at hun skulle se i kaffegruten for dem, og hun var glad hver gang hun kunne hjelpe. Sammen med Torodd kjente hun seg glad og fri, og savnet av Anna var blitt til en varm sorg med et vell av smilende minner. Rise Torolfsdatter Knatten kunne med hånden på hjertet si at hun var lykkelig og tilfreds. Hun kunne ikke ønske seg mer ...

Lom, 1937

I ei lita stugu midt imot Lomseggen og Lomskyrkja sitter ei 90 år gammal kone og varmer seg på kaffekoppen. Døra har akkurat gått igjen etter ungkona som ville vite om barnet hun bar på, var det siste. Hun hadde ni unger fra før.

Rise rettet litt på hårnettet og kikket ut av vinduet. På jordet utenfor var kornband satt opp i trever. Kornet tørket fint når det fikk stå slik. Den gamle frua fra Øvre så også den vesle vassrenna der ute. Renna som var stukket ut fra hovedrenna, og gav vann til nedre delen av jordet.

Rise Torolfsdatter Knatten, frua til Øvre, var skarp i blikket, men fingrene krøket seg på gammelmanns vis. De verket også, men det var ingen grunn til å klage, for hun hadde en smijernskniv som hun iblant la over de vonde hendene, og den dempet smertene. Ellers var hun fortsatt rørlig og gikk små turer rundt i Bergom når hun følte for det.

Livet på Bergom var svært annerledes enn da hun var ung. Nå var det kommet biler og Handelslag. Hotell og kafé var det også, og stadig var det noen som bygde nytt. Det eneste som var uforandret, var kirka. Selv den gamle prestegårdsstugu var borte, for den hadde brent året før. Men Rise fortvilte ikke over utviklingen, tvert imot syntes hun det var spennende å høre om alt det nye, og hun lyttet oppmerksomt når barn og barnebarn var innom for å se til henne.

Livet hadde fart godt med Rise, og hun var glad for den vesle stua hun fikk leie midt i Bergom. Det var ikke mange eiendeler hun hadde tatt med seg, men på veggen ved salongen hang et stort og skattet maleri. Det var Reiers maleri fra Knatten, og det var det kjæreste Rise eide. Hun kunne sitte i timevis og se på bildet, minnes barneårene og gjenoppleve gode stunder i fjellet.

Etter at Torodd døde, åtti år gammel, trengte hun ikke så stor plass, og hun bestemte seg for å flytte fra Øvre og til kirkebygda. Siden ingen av barna ville overta gården, hadde husene blitt plukket ned ett for ett og plassert andre steder. Det plaget henne ikke, for hun visste at de stod støtt der de var satt opp på nytt rundt omkring i bygda. Og det var barna som hadde ordnet med alt. Nå var det bare jorder tilbake der storgården Øvre en gang lå.

Viljar levde i tjue år etter Annas død, men han flyttet aldri tilbake til Gjel. I stedet ble han boende på Lillehammer, der han fikk oppleve at verkstedet blomstret under Storms ledelse. Han ble også en lykkelig bestefar til ti, før en giktbrudden kropp gav opp.

Rise smilte fornøyd når hun tenkte på sine egne barn. Alle var gift og hadde det bra, og de drev med det de helst ville. Liv og Fredrik Trond hadde bygd ut Slettiplassen til en middels stor gård, der de trivdes så godt at de ikke ville flytte. Svein Ulrik bodde i Bergen med kone, fem barn og tolv barnebarn. Han drev fortsatt med handel og gjorde det visst bra, men det var sønnene som hadde overtatt det meste. Lars Ola hadde flyttet til Skjolden, der han drev med fiske og frukt. Linnea var gift og bodde med mann og barn på Veslegården, stedet som Rise kjøpte mens Edvin levde. Til slutt var det minstejenta Øyvor, som hadde rukket å fylle 61 år. Øyvor var nylig blitt enke, men hun hadde seks snille unger som sørget godt for henne.

– Jeg har hatt et rikt liv, sa Rise ut i lufta. Hun snakket ofte med seg selv. – Jeg ønsker ikke at jeg var ung i dag, men jeg skulle ønske at jeg hadde krefter nok til å komme en siste gang til Gjende. Hun lukket øynene og drømte seg tilbake til sætra. Hun visste at hun aldri fikk se det kjære stedet igjen, men minnene var mange og sterke …

Senere på kvelden fikk Rise besøk av en eldre kar som støttet seg tungt til en spaserstokk mens han strevde med å få beina til å lystre. Men han hadde sterke armer, og hun fikk en god klem til hilsen. Værbitt hud møtte dype rynker, og i foldene lå det et hav av levd liv. Men da de satte seg og praten kom i gang over en kaffekopp, gnistret det muntert i øynene deres, og litt av ungdommens iver stod å lese i ansiktene. Sammen gjenopplevde de livet i fjellet, og kinnene glødet av morskap og hygge. De mintes jaktturer, snarefangst, hesteslipp, svømmeopplæring, slåttonn, bålfester og vakre soloppganger ved Gjende. Og det var bare de gode minnene som fikk plass ved bordet, alt annet var glemt.

Rise Knatten og Jo Torgilstad var knyttet til hverandre med sterke, usynlige bånd. Og i livets høst fant de sammen for å glede hverandre. Det var godt. Det var vakkert. Det var Rise og Jo ...

Ordliste

Ambar – trekar til å oppbevare mat

Avletter – tynne, sprø kaker

Bedarlag – en del av grenda som alltid blir bedt til familiebegivenheter

Bile – øks med bredt blad

Bløgging – å kutte over blodårene fra hjertet til en fisk

Blåsar – oppblåst type

Bostkast – et lite veggskap med rund åpning. Her lå kammer og hårbørster, og under var det en stang til håndkleet

Brynestokk – et uthult trestykke til å ha vann og bryne i og som ble hengt i beltet

Busthugu – person som er bustete på håret, skjellsord

Busleik – uthult kåte eller trekule fylt med salt

Buslugom – person med skremmende utseende

Bøle – kasse med lokk til å ha korn og mjøl i

Bån – barn

Embar – et trekar til oppbevaring av melkeprodukter

Da messom – må vite

Da måta – uttrykk for å slå fast noe

Dågåvis – dagevis

Frille – gammelt ord for elskerinne

Glasskavle – flytekule av glass brukt til garn- og linefiske

Glåme – glane

Glåmskaute – en nysgjerrigper

Godeint – snill, vennlig

Godmøle – godt humør

Gomol – gammel
Grov – bekk
Hakelin – et tøystykke av lin som dekker hals, hake og kinn
Hardbeist – hjerteløs person
Heller – lenker til å ha rundt hestebeina
Hit – skinnsekk til å ha korn i
Hjelma glad – sjeleglad, svært glad
Hyfsen – lett å skremme, nervøs
Illtrives – mistrives
Isterbluke – fett i magen til dyr, brukt som skjellsord
Junge – foldekniv som brukes til måltider
Jotne – en kjempe i norrøn mytologi
Kantofel – potet
Kastskovl – spade til å kaste kornet med
Kavelhue – nett rundt glasskavlen
Kjøgemester – en mannlig forlover og toastmaster
Kluvande – svært
Kornbol – firkantede kornbinger
Kornharpe – ramme med ståltrådbunn der kornet blir skilt fra
    agnen
Kornkjer – vide, laggede korntønner
Krytyr – krøtter, husdyr
Kveldssete – dagens siste økt, der gårdsfolket samlet seg om ilden
    og drev med småarbeider
Kvitil – laken, ullteppe
Kymse – skjellsord for noen en ikke liker
Linhekle – en børste av tynne jerntenner til å karde lin
Lo – kornband
Lugumt – trivelig
Læpåt – klønete
Løsjer – blekktørker med trekkpapir på en buet holder
Låg – avkok av noe, f.eks. einer
Låk – dårlig
Magistrat – borgermester og rådmenn
Mjølkekolle – trekar til å oppbevare nysilt melk i
Måfåtre – en person som får utrettet lite
Omfar – en runde med tømmerstokker
Omframt – utmerket
Otyle – uhyggelig/utrivelig

Passtro – en delestokk for vann

Pero – ørliten fisk

Pjåtre – å drive med trolldom

Prestleser – ungdom som går til konfirmantundervisning

Pyril – en liten og livlig gutt

Pøk – liten skinnpose/sekk

Ramloftstue – en kombinasjon av en stue og et loft – loftet ligger i
   den ene enden av bygningen og har sitt eget møne på tvers, en
   utvendig trapp fører opp til loftet

Reiedeie – tjenestejente

Rivulv – en person som biter kvast fra seg

Rumembar – en trebutt, ofte lagget, til å ha rømme i

Rupe – rype

Rømmekolle – nysilt melk og rømme som har stått i romtemperatur
   i tre–fire dager

Rørpotte – rørete kvinnfolk

Råkå på – finne en løsning

Sel – sæterhus, hovedhuset på sætra

Sjog – snø

Skeimat – supper

Skjeltreko – trespade med langt, smalt blad. Brukes til vanning

Skjerding – et redskap av jern til å henge opp kjeler og gryter over
   varmen

Snidil – lauvkniv

Skinnsjuk – sjalu

Skjørost – gammalost

Skjørostkølle eller -kolle – et trekar med kryssformet hull
i bunnen og små hull i siden

Skryu – ras

Smørbutt – trekar med lokk til å ha smør i

Snulle – snakke i nesen

Solv – sopelime

Stanthus – arresten, arrestanthuset

Steike på – drive med bakst

Stingarreko – trespade til bruk ved vanning. Stuttere og bredere
   enn skjeltreko

Stuttorv – lite ljåskaft

Sø – suppe

Såld – kar til å rense korn i

Timber – tømmer
Travaleg – vanskelig
Tullåt – sinnsforvirret
Tumling – et drammeglass uten stett og med rund bunn
Tust – stokk med to deler til å slå kornet med (tresking)
Tvare – en slags visp til å røre i grøten med
Udott – utøy
Vagvær – en fra Vagå
Vasstro – flere trø/vanningsrenner av tre
Vippestjert – linerle
Vøle – reparere

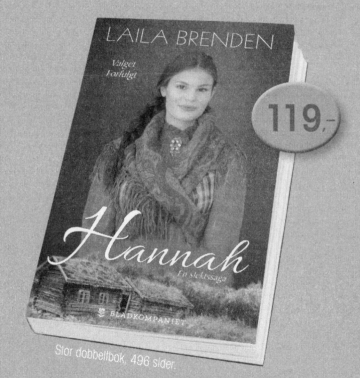

NY BOKSERIE

Aurora er oppkalt etter nordlyset, og hun elsker fart og spenning

BENTE PEDERSEN

AURORA

NY SERIE
20-TALLETS TROMSØ

Grossererens datter

🌸 BLADKOMPANIET

LES MER PÅ NESTE SIDE ...

Bente Pedersen

AURORA